Rindert Kromhout

Meester Max en de minimonsters

met tekeningen van Georgien Overwater

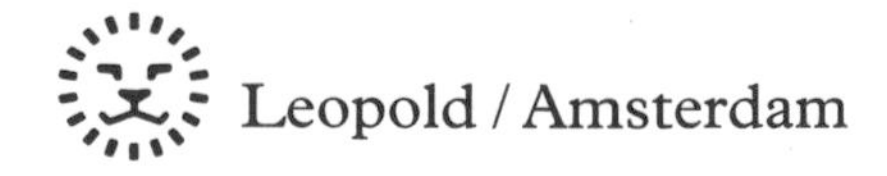

Opgedragen aan Max Velthuijs

Zevende druk 2006

Omslagtekening en illustraties Georgien Overwater
Omslagontwerp Petra Gerritsen
NUR 281 / ISBN 90 258 4997 0

Meester Max en de minimonsters

Andere boeken van Rindert Kromhout bij Leopold zijn onder meer:

Meester Max en het wiebelkind 4+
Meester Max voor altijd 4+
Het piepkleine boek van Meester Max 4+
De hele erge Ellie en nare Nellie 7+
Het geheim van de afgebeten vingers 7+

Samen met Annemarie van Haeringen maakte hij de prentenboeken:

Wat staat daar?
Een grote ezel
Kleine Ezel en jarige Jakkie
Kleine Ezel en de oppas
De pappa van Kleine Ezel

Samen met Jan Jutte maakte hij:

Bil en Wil. Vijf kleine avonturen van twee grote vrienden
Bil en Wil. Vrienden voor altijd

www.rindertkromhout.nl
www.leopold.nl

Inhoud

Tand eruit

'Ik heb een tand eruit,' zegt Rosa. 'Ik ben groot.'

Ze doet haar hand open en laat Bram een kleine witte tand zien, met een bruin randje eraan. In haar mond is een gat, precies op de plek waar de tand zat.

'Eerst zat de tand los,' zegt ze, 'en toen ben ik gevallen en toen was hij eruit.'

Bram en Rosa zitten op de rand van de zandbak. Er zijn nog veel meer kinderen op het schoolplein, en ook een heleboel vaders en moeders, die staan te wachten tot de school begint.

'Ik ben ook groot,' zegt Bram.

'Nee, jij bent klein,' zegt Rosa. 'Ik wil niet meer met je spelen. Ik wil alleen met grote kinderen spelen.'

'Ik ben al vijf,' zegt Bram.

'Maar je hebt geen tand eruit.'

Dat is waar. Bram weet er niks op terug te zeggen.

'Ik wil ook een tand eruit,' zegt hij sip. Hij steekt zijn vingers in zijn mond en trekt aan zijn tanden. Maar die zitten vast, er is er niet één die wil loslaten.

'Je moet ertegen slaan,' zegt Rosa.

Zachtjes slaat Bram tegen zijn tanden. Ook dat helpt niet.

'Harder,' zegt Rosa en meteen slaat ze Bram hard tegen zijn mond.

'Au!' Dat doet pijn! En nog steeds zitten alle tanden stevig vast.

Rosa raapt een steentje op uit het zand en tikt daarmee tegen de tanden van Bram. Het is een akelig gevoel en het helpt niks.

Wat nu? Ze moeten daar allebei even over nadenken.

Bram zou het aan de juf willen vragen. Maar juf Wendy is niet op het plein en de deur van de school is nog dicht. En ook mamma is niet op het plein, want Bram woont dichtbij en mag altijd alleen naar school.

'Ik weet het!' zegt Rosa. 'Je moet vallen, dan gaat je tand eruit.'

Dat vindt Bram een goed idee. Hij staat op en probeert om te vallen. Maar het gaat niet. Hij wiebelt en hij springt, maar hij valt niet om. Omvallen is moeilijker dan hij dacht.

Ineens staat Rosa op en geeft hem een duw. Bram valt hard op zijn gezicht. Hij begint te huilen, van de schrik en van de pijn.

Ondertussen zwaait de deur van de school open. Vaders en moeders en kinderen gaan naar binnen.

Bram krabbelt op en wrijft over zijn zere mond.

'Je bloedt,' zegt Rosa. 'Het is gelukt.'

Meteen houdt Bram op met huilen. Blij voelt hij aan zijn tanden, maar die zijn er nog allemaal. Weer mislukt.

Rosa zegt niks meer. Ze loopt weg, naar Pieter en Peter die

in het klimrek zitten, en laat ook aan hen haar tand zien.

Eenzaam blijft Bram achter. Zijn lip doet pijn. Hij heeft een vieze smaak in zijn mond en hij voelt nieuwe tranen in zijn ogen. Snikkend loopt hij de school in, om door de juf te worden getroost.

Meester in de klas

De juf is niet in de klas. De meeste andere kinderen zitten al in de kring en aan de tafel van de juf zit meester Max, maar juf Wendy zelf is nergens te zien.

'Dag jongen, wat is er met jou gebeurd?' zegt meester Max.

'Waar is de juf?' vraagt Bram.

Meester Max is de baas van de school. Vroeger was hij de meester van groep acht, maar nu zit hij altijd in zijn kamertje, om dingen op te schrijven en om met vaders en moeders te praten.

'Ja, waar is onze juf?' vraagt Susan.

Het is raar dat ze er nog niet is en dat meester Max aan haar tafel zit, terwijl de kinderen al binnenkomen.

'Jullie juf is ziek,' zegt meester Max. 'Ze heeft koorts en ze ligt in bed. Daarom blijf ik bij jullie in de klas om op jullie te passen, net zolang tot juf Wendy weer beter is. Goed?'

'Jáááh!' Een andere meester of juf in de klas is altijd leuk, behalve als ze streng zijn.

Bram veegt zijn tranen weg en gaat in de kring zitten.

Als even later iedereen binnen is, pakt meester Max zijn tas en haalt daar een krant uit. 'Zo,' zegt hij, 'gaan jullie maar lief spelen, dan kan ik rustig de krant lezen.'

De krant lezen?

'We willen niet spelen,' zegt Rosa, 'je moet voorlezen.'

'Voorlezen?' vraagt meester Max.

'Dat doet de juf ook altijd,' legt Pieter uit.

Meester Max zucht diep en doet zijn krant dicht. 'Vooruit dan,' zegt hij. 'Een klein verhaaltje.'

Bram rent naar de boekenkast en pakt *Max en de Maximonsters*, hun lievelingsboek. De hele klas gaat dicht om meester Max heen zitten.

'*Max en de Maximonsters*?' zegt meester Max lachend. 'Dat boek gaat over mij!'

'Nee, het gaat over monsters,' zegt Bram.

Meester Max bladert in het boek. 'Is dit niet te eng voor jullie?'

'Het is juist spannend!' zegt Bram.

'O, goed,' zegt meester Max aarzelend. Hij doet het boek open en begint te lezen. 'Toen Max zijn wolfspakje aan had, en kattenkwaad uithaalde... en nog meer kattenkwaad...'

Terwijl meester Max voorleest hoe Max met een boot naar het land van de Maximonsters zeilde en hoe vreselijk die Maximonsters met hun tanden knarsten en met hun ogen rolden, beginnen sommige kinderen op hun stoel te draaien en te wiebelen. Wim peutert in zijn neus, Rosa speelt met de haren van Barbara, die naast haar zit. Bijna niemand luistert naar het verhaal, want bijna niemand vindt het leuk.

Ook Bram vindt er niks aan. De stem van meester Max klinkt hard, maar niet spannend. Hij fluistert niet als het eng is, hij laat zijn stem niet brullen als de Maximonsters hun vreselijke klauwen laten zien. Dit

verhaal is veel spannender als de juf het voorleest. Ze heeft het wel tien keer voorgelezen en iedere keer was het akelig spannend. Maar nu...

Als zomaar ineens Pieter en Peter met stoel en al omvallen, slaat meester Max het boek dicht.

'Jullie luisteren niet,' zegt hij boos.

'Het is niet leuk,' zegt Bram.

'Je moet stemmen doen,' zegt Rosa, 'en dat het eng is.'

'Nog enger?' vraagt meester Max. 'Ik vind het nu al zo eng.'

'Je moet griezelig doen,' zegt Pieter, 'anders worden we niet bang.'

Dat meester Max dat niet snapt! *Max en de Maximonsters* hóórt afschuwelijk eng te zijn.

Meester Max legt het boek weg. 'Ik heb een idee,' zegt hij. 'Ik ga niet voorlezen, ik ga een spannend verhaal vertéllen. Dat deed ik in groep acht ook altijd.'

'Ja, vertellen!' zegt Arif.

'Trek de gordijnen maar dicht,' zegt meester Max. 'En dan doen we het licht uit en een kaars aan. Wat vinden jullie daarvan?'

Geweldig vinden ze dat!

Even later zitten ze in het donker bij het licht van één klein kaarsje om meester Max heen. Met een krakende griezelstem begint hij te vertellen...

'Er was eens een monster, een afschuwelijk monster. Het had zeventien koppen en rollende ogen en akelige klauwen om kinderen mee te vangen, kleine kinderen op een school....'

Het is stil in de klas terwijl meester Max vertelt, heel erg stil.

'Het monster sloop de school in,' vertelt hij met zijn griezelstem. 'Gelukkig was het donker in de klas, niemand kon het monster zien...'

Bram rilt, hij durft zich niet te bewegen, zo spannend vindt hij het.

'Daar sloop het monster onder de tafels door... sluip... sluip... Het zocht naar kinderen, kinderen om te grijpen, kinderen om op te eten... Oóó wat akelig, óóó wat verschrikkelijk...'

'Meester,' zegt Wim met een dun stemmetje. 'Mag het gordijn open?'

'Meester,' fluistert Barbara, 'mag het licht aan?'

Verbaasd houdt meester Max op met vertellen. 'Wat krijgen we nou? Zijn jullie bang? En jullie wilden dat het eng was!'

Niemand zegt iets terug. Doodstil zitten de kinderen in de donkere klas. Angstig tuurt Bram om zich heen. Zijn daar geluiden te horen, daar onder die tafel?

En Bram vraagt: 'Meester, mogen we nu gaan spelen?'

Veters strikken

De gymles is afgelopen. Op de gang trekken de kinderen hun schoenen aan.

'Hier,' zegt Bram. Hij steekt een voet uit naar meester Max. 'Je moet mijn veters strikken.'

'Je veters strikken?' vraagt meester Max. 'Dat kun je zelf toch wel?'

'Nee,' zegt Bram. 'Jij moet het doen.'

'Bij mij ook,' zegt Robin.

'Bij mij ook,' zegt Arif.

Minstens tien kinderen steken een voet uit.

'Toe zeg!' Zuchtend gaat meester Max op zijn hurken zitten. Het duurt wel een kwartier voordat alle veters gestrikt zijn. 'Wat een karwei!' klaagt hij. 'Dat doe ik niet nog een keer hoor, ik zal jullie even leren zelf een strik in je veters te maken.'

Terug in de klas moet iedereen in de kring gaan zitten.

'Let op,' zegt meester Max. 'Ik zal voordoen hoe het moet en dan doen jullie het na.'

Hij buigt zich voorover en friemelt wat met zijn eigen veters. 'Eerst een knoop, dan een lus en nog een lus en daarna een strik,' zegt hij. 'Makkelijk, hè?'

Bram kijkt, het ziet er ingewikkeld uit.

'Ziezo, klaar,' zegt meester Max. 'Nu jullie. Trek je veters maar los.'

Braaf doen de kinderen wat hij zegt. Ze trekken hun veters los en proberen een strik te maken. Bram ook. Net als meester Max friemelt hij aan zijn veter, maar die wordt geen strik. Het is veel te moeilijk. En het is helemaal niet leuk om het zelf te doen, hij heeft liever dat meester Max helpt. Mamma helpt ook altijd, zij heeft nog nooit gezegd dat Bram het zelf moet leren.

Er zijn maar twee kinderen die een mooie veter strikken, bij alle anderen mislukt het.

'Nou ja,' zegt meester Max, 'dan proberen we het een andere keer opnieuw. Het is tijd om naar huis te gaan, jassen aan allemaal.'

Maar de kinderen zeggen: 'Onze veters zijn los. Je moet helpen, meester.'

'Hè verdraaid,' zegt meester Max, terwijl hij rondkijkt naar al die schoenen met losse veters. Mopperend gaat hij weer op zijn hurken zitten...

'Kijk eens wat ik heb meegebracht,' zegt meester Max, als alle kinderen 's middags weer in de klas zijn. Hij haalt een grote zak dropveters uit zijn tas.

'Lekker!' roepen de kinderen.

'Ik wil er een!' roept Bram.

'Ho, wacht even,' zegt meester Max. 'Die veters zijn niet om op te eten, ze zijn om in je schoenen te stoppen.'

Wat krijgen we nu?

'Vooruit,' zegt meester Max. 'Trek je echte veters eruit en stop de dropveters erin.'

Giechelend doen de kinderen wat meester Max wil. Het is een raar gezicht, al die schoenen met dropveters erin.

'Zo,' zegt meester Max, 'en nu gaan we veters strikken. Wie een strik kan maken, mag zijn dropveter opeten.'

Nog één keer doet hij voor hoe het moet. Bram let extra goed op, hij heeft zin in een dropveter. Eerst een knoop, dan een lus en nog een lus en daarna een strik. Het ziet er ineens makkelijk uit.

'Gezien?' vraagt meester Max. 'Nu jullie.'

Bram probeert het na te doen en het lukt meteen. Er komt een prachtige strik in zijn dropveter. En niet alleen bij Bram, nee, bij bijna alle kinderen gaat het goed. Bijna alle dropveters worden strikken. Nou ja, voor heel even maar hoor, want meteen trekken ze de strikken weer los om de dropveters op te eten. Smakkend kijken de kinderen naar meester Max, die tevreden zit te lachen.

'Jullie zijn knappe kinderen,' zegt hij. 'Voortaan kunnen jullie zelf je veters strikken, ik hoef nooit meer te helpen.'

En met een brede glimlach stopt ook hij een dropveter in zijn mond.

Blubberkasteel

'Meester, mogen we zand in de watertafel?' vraagt Bram.

Rosa en hij zijn aan het spelen, want Rosa is Brams vriendin weer. Pieter en Peter hebben haar gepest en nu wil ze nooit meer met die twee meedoen, heeft ze Bram verteld. Bram en zij willen een blubberkasteel in de watertafel bouwen, en zonder zand gaat dat niet.

'Zand in de watertafel?' vraagt meester Max, die Wim met een puzzel aan het helpen is. 'Nee jongens, dat wordt een vreselijke troep.'

'Van de juf mag het altijd wel,' zegt Bram.

'Is dat zo?' vraagt meester Max. 'O, nou, als het van de juf mag, mag het van mij ook. Haal maar zand uit de zandbak en kijk uit dat je niet knoeit.'

Het is niet waar dat het van de juf altijd mag, het mag alleen soms, als het water toch al vies is. Maar dat zegt Bram er natuurlijk niet bij.

Op het speelplein scheppen Rosa en hij een emmer vol en dragen die naar binnen. De emmer is zo zwaar dat ze hem onderweg twee keer laten vallen, één keer op de gang en één keer in de klas. Met hun handen scheppen ze het zand terug en even later kiepen ze de emmer leeg in de watertafel. Het water spat alle kanten op.

Bram roert met zijn armen door het zand en het water. Zo wordt het een vieze, bruine blubber. Bruin is geen mooie kleur voor hun kasteel.

'Meester?' vraagt Rosa. 'Mogen we verfpoeder door de blubber doen? We willen mooie kleuren.'

'Verfpoeder door de blubber? Hoe komen jullie daarbij?' vraagt meester Max, die nog steeds bij de puzzel zit. Wim zit niet meer naast hem, die is iets anders gaan doen. De puzzel was te moeilijk.

'Dat doet de juf ook altijd,' zegt Bram.

Meester Max bromt iets en vraagt: 'Echt waar?'

'Ja, meester.'

Nadenkend kijkt meester Max Bram aan.

'Vooruit dan maar,' zegt hij. 'En niet zo spetteren alsjeblieft.'

Bram moet een beetje giechelen en Rosa ook. Verfpoeder in de blubber, dat hebben ze nog nooit gedaan!

Ze strooien een pot rode poeder leeg en beginnen weer te roeren. Ja, dat wordt een prachtige kleur voor hun kasteel!

De blubber is klaar, ze kunnen gaan bouwen. Bram probeert een toren van het zand te maken, maar steeds opnieuw zakt die toren in elkaar, omdat het te nat is in de watertafel. De vloer naast de watertafel is droog, dat is een betere plek voor het kasteel.

'Meester?' vraagt Rosa. 'Mogen we een blubberkasteel op de grond maken?'

'Ah,' mompelt meester Max, 'eindelijk een stukje gevonden dat past.' Hij kijkt op van de puzzel en vraagt: 'Een blubberkasteel op de grond? Jongens toch, zo meteen is de hele klas een blubbertroep.'

'Maar meester...' begint Bram.

Meester Max bromt iets. 'Van jullie juf mag het zeker altijd wel?'

'Ja meester,' zegt Bram, 'altijd.' Hij kan zijn lachen bijna niet houden. Rosa ook niet. Wat een leuk spelletje is dit!

'Doe je best dan maar,' zegt meester Max en als hij dat heeft gezegd, gaat hij ijverig verder aan de puzzel.

Bram en Rosa beginnen te bouwen. Een groot, rood blubberkasteel op de grond, met torens en een ophaalbrug. Naast het kasteel komen blubberhuizen en een grote blubberstal voor de kasteelpaarden. Het ziet er schitterend uit! Het bouwwerk is klaar, Bram en Rosa kunnen gaan spelen.

Terwijl ze in een kist aan het zoeken zijn naar paarden en poppetjes, rijdt Pieter op een driewieler recht over het kasteel heen. 'Ik ben de vijand!' roept hij. 'Ik schiet iedereen in het kasteel dood!'

'Nee!' roept Rosa. Maar het is al te laat.

Beteuterd kijkt Bram naar het kasteel. Er is niks meer van over, alleen een berg rode blubber op de vloer van de klas.

Ze hebben meteen geen zin meer om bij de watertafel te spelen.

'Kom,' zegt Rosa, 'we gaan in de poppenhoek.'

'Hohoho!' roept meester Max, die eindelijk klaar is met zijn puzzel. 'Eerst opruimen voordat je iets anders gaat doen.'

Bram en Rosa kijken weer naar de blubbertroep. Opruimen? Nee hoor, daar hebben ze geen zin in.

'Meester,' zegt Rosa, 'ik mag geen blubber opruimen van de juf. Dan worden mijn kleren vies en dan wordt de juf boos.'

En Bram en zij lopen gewoon door naar de poppenhoek.

Jammer genoeg komt meester Max hen achterna. Hij grijpt de twee kinderen bij hun armen. 'Zeg, kleine jokkebrokken,' zegt hij streng, 'het spelletje is afgelopen. Opruimen die troep of er zwaait wat.'

Beteuterd kijkt Bram hem aan. 'Ja meester,' zegt hij braaf.

'Ja meester,' zegt ook Rosa.

Gehoorzaam beginnen ze de blubber bij elkaar te vegen.

De nieuwe trekkar

'Gauw,' zegt Rosa, 'anders gaat iemand anders erop.'

Vliegensvlug trekken Bram en zij hun jassen aan en meteen hollen ze door de gang naar het speelplein.

'Zachtjes!' roept meester Max hen achterna, maar dat horen ze al niet meer. Er is een nieuwe trekkar en daar willen Bram en Rosa mee gaan spelen, een prachtige rode trekkar met glimmende wielen en een toeter. Meester Max heeft hem gisteren gekocht, niemand heeft er nog mee gespeeld.

De hele ochtend hebben Bram en Rosa door het raam naar de trekkar staan kijken; ze konden bijna niet wachten tot ze naar buiten mochten. Het voorlezen duurde akelig lang vanmorgen. Gelukkig is het verhaal eindelijk uit en nu hollen Bram en Rosa struikelend door het halletje naar de buitendeur. Vlug, vlug het schoolplein op.

Maar hoe hard ze ook hollen, ze zijn te laat. Ook Pieter en Peter zijn naar buiten gegaan en ook zij willen met de trekkar spelen. Pieter is groter dan Bram en Rosa en kan daarom harder hollen. Gauw gaat hij op de trekkar zitten. 'Rijden maar!' roept hij tegen Peter. Die pakt het touw dat aan de trekkar vastzit en begint de kar over het schoolplein te trekken.

Hè, wat jammer nou, dat ze te laat zijn. Was Bram maar groter!

'Pwèhh!' Pieter knijpt in de toeter. 'Opzij, anders rij ik over jullie heen!'

Gehoorzaam doen Bram en Rosa een stap opzij. Ze gaan op de rand van de zandbak zitten om naar de trekkar te kijken.

Langzaam rijdt die over het plein. 'Harder!' commandeert Pieter.

Maar de kar is zwaar en Pieter ook. Peter doet erg zijn best, maar het lukt hem niet de kar harder te laten rijden.

'Pwèhh! Pwèhh!' toetert Pieter.

Met grote ogen zitten Bram en Rosa te kijken. Wat een mooie trekkar, wat willen ze er graag mee spelen!

Bram staat op en loopt naar Pieter toe. 'Mogen wij meedoen?' vraagt hij.

'Nee, ik speel al met Peter,' zegt Pieter. 'Hortsik, paard!'

'Ik ben geen paard,' zegt Peter boos, 'ik ben de chauffeur.'

Bram gaat terug naar de zandbakrand. Rosa roept naar Pieter: 'Wij willen niet eens met jullie meedoen! Straks gaan wij op de trekkar en dan mogen jullie niet met ons meedoen!'

'Nou en?' roept Pieter terug.

Rosa zegt niks meer. Stil blijft ze naast Bram zitten wachten.

Het wachten duurt lang. De kar met Pieter erop rijdt een rondje om de zandbak en daarna een rondje om het klimrek, waarin Arif aan het klauteren is, en nog een rondje om het klimrek. En al die tijd moet Peter trekken.

'Pwèèhh!'

Bram heeft een idee. Hij gaat naar meester Max, die in de zandbak Susan aan het helpen is met het graven van diepe kuilen.

'Meester,' zegt hij, 'wij willen zo graag met de trekkar.'

'Straks,' zegt meester Max, terwijl hij een schep vol zand de lucht in gooit. 'Als Pieter en Peter geen zin meer hebben, mogen jullie erop.'

'Maar we willen nu zo graag, meester.'

'Even geduld, jongen,' zegt meester Max, 'tot je aan de beurt bent. Dat weet je toch? Ga zolang maar met iets anders spelen.'

Ja, Bram weet het. Iedereen moet altijd netjes op zijn beurt wachten, anders wordt meester Max boos.

Bram kijkt om zich heen. Nergens op het plein ziet hij iets anders waar hij mee wil spelen. Rosa en hij willen alleen maar op de trekkar.

Weer gaat hij op de rand van de zandbak zitten. En vanaf die plek ziet hij hoe Peter struikelt. Hijgend blijft het jongetje op het schoolplein zitten. De kar staat stil en Pieter klimt eraf. Gelukkig!

'Kom op!' zegt Rosa tegen Bram.

'Arif!' roept Pieter. 'Jij mag op de trekkar!'

In twee tellen laat Arif zich uit het klimrek vallen; vlug klimt hij op de trekkar. Hè nee, nu zijn Bram en Rosa weer te laat.

'Het is niet eerlijk!' roept Rosa. En Bram vraagt bedremmeld aan Pieter: 'Wij mochten er toch op?'

'Nee, Arif mag erop,' zegt Pieter. 'Arif is mijn vriend.'

Met een gemene grijns op zijn gezicht loopt hij weg.

'Barbara!' roept Arif over het schoolplein. 'Jij mag met me meedoen!'

Somber draait Bram zich om. Hij heeft geen zin om nog langer op zijn beurt te wachten, hij gaat liever in de zandbak spelen.

Rosa denkt er anders over. 'Gemeen rotjoch!' roept ze Pieter achterna. Ze pakt het touw van de trekkar en geeft er een harde ruk aan, zo hard dat Arif omvalt en op zijn knieën op de stenen terechtkomt. Geschrokken rent Arif weg.

De kar is nu leeg en Rosa gaat erop zitten. 'Nu mogen wij,' zegt ze tevreden.

'Ja,' zegt Bram, 'nu mogen wij.' En hij pakt het touw op om Rosa en die mooie, rode trekkar over het plein te trekken.

'Pwèhh! Pwèhh!'

Melk met beestjes

'Jongens, schiet eens op met melk drinken. We hebben meer te doen vandaag.'

De kinderen zitten al een kwartier in de kring om melk te drinken. Meester Max heeft twee verhalen voorgelezen en nog steeds heeft bijna niemand zijn pakje melk leeg. 'Ik heb mijn koffie ook allang op, dus een beetje doordrinken graag,' zegt hij. 'Het is tijd om buiten te gaan spelen.'

Wat is meester Max ongeduldig! Bram doet echt zijn best, maar er zit veel melk in een pakje, het duurt nu eenmaal lang voordat het leeg is. Meester Max heeft een grotere buik dan de kinderen, logisch dat hij sneller kan drinken.

Driftig zuigen de kinderen aan hun rietjes.

Meester Max zet het voorleesboek in de kast, hij ruimt zijn tafel op en hij loopt naar de vensterbank om dode blaadjes van de planten te plukken. Daarna draait hij zich om en kijkt naar de drinkende kinderen.

'Jongens, toe nou,' zegt hij een beetje knorrig. 'Als jullie zo treuzelen, wordt de melk zuur. Dan smaakt hij vies en kun je hem niet meer opdrinken. Dan moeten we hem weggooien en dat is zonde.'

Wat zegt meester Max nou toch weer? denkt Bram. Zuur? Wordt die lekkere melk zuur als de kinderen niet opschieten? Hij maakt zeker een grapje.

'Ik maak helemaal geen grapje,' zegt meester Max. 'Als je melk te lang bewaart wordt hij vies, echt waar. Drink dus maar zo snel je kunt, dan gaan we daarna lekker buiten spelen.'

Dit snappen de kinderen niet. Hoe kan melk vies worden als je langzaam drinkt?

'Dat komt door kleine beestjes die in de melk zitten,' legt meester Max uit. 'Die zwemmen rond in de melk en die maken de melk zuur.'

Beestjes? Geschrokken kijkt Bram naar zijn pakje melk. Zitten er beestjes in de melk?

'Piepkleine beestjes,' zegt meester Max, 'zo klein dat je ze niet kunt zien. Dat is niks geks, die beestjes horen in de melk. Ze wonen er.'

'Meester,' zegt Barbara, 'ik lust geen melk met beestjes.'

Met een bons zet ze haar pakje melk neer.

'Ik lust ook geen melk met beestjes,' zegt Bram en ook hij zet zijn pakje neer, net als alle andere kinderen. Allemaal stoppen ze met drinken. Beestjes in de melk, jasses!

'Doe niet zo flauw,' zegt meester Max. 'Het zijn geen echte beestjes, het zijn kleine kriebeldingetjes, je proeft er niks van.'

'Ik lust geen melk met kriebeldingetjes,' zegt Rosa.

Meester Max krabt zich op zijn hoofd en komt weer in de

kring zitten. 'Had ik maar niks gezegd,' mompelt hij. 'Jongens, stel je niet aan, er is niks om bang voor te zijn. Kijk maar naar mij.'

Hij pakt een pakje melk dat over was, steekt er een rietje in en neemt een grote slok.

'Mmmm!' zegt hij, 'wat een lekkere melk. Zien jullie wel, niks aan de hand. Nu jullie.'

Maar wat meester Max ook zegt of doet, er is niemand die nog van zijn melk wil drinken. Alle kinderen kijken met vieze gezichten naar hun melkpakjes vol beestjes en kriebeldingetjes.

'Ik geef het op,' zegt meester Max zuchtend. 'Zet de melk maar weg en trek je jas aan. We gaan naar buiten.'

Alle kinderen springen op en rennen naar de gang. En zodra Bram buiten is, spuugt hij een grote klodder melk met beestjes op het plein. Gatsie, wat smaken die beestjes vies! Bram weet zeker dat hij nooit meer melk wil drinken, nooit, nooit, nooit meer.

Robin

'Ik wil niet naast Robin zitten,' zegt Pieter. 'Hij stinkt.'

'Pieter!' zegt meester Max streng. 'Doe niet zo onaardig.'

'Hij stinkt naar pies!' houdt Pieter vol.

'Nu is het afgelopen,' zegt meester Max. 'Vooruit, zitten.' Hij pakt Pieter bij zijn arm en zet hem op de stoel naast Robin.

Meester Max snuift. 'Ja,' zegt hij, 'je ruikt wel een beetje vies, Robin. Heb je in je broek geplast?'

Robin begint te huilen. 'Nee,' snikt hij. 'Ik heb in bed geplast.'

Sommige kinderen beginnen te lachen.

'Kleine ukkepuk!' zegt Tamara.

'Jongens, hou op!' zegt meester Max. 'In bed geplast? En heb je nog steeds je natte broek aan?'

'Nee,' zegt Robin, 'ik heb een droge broek aan.'

'Maar ben je dan niet in bad geweest vanmorgen?' vraagt meester Max.

Robin schudt zijn hoofd. 'Mamma had geen tijd, ze moest gaan werken.'

'Jongen toch!' zegt meester Max. Hij aait Robin over zijn hoofd.

'Robin stinkt altijd,' zegt Rosa. 'Hij heeft nooit schone kleren aan.'

'Wel waar!' zegt Robin.

'Niet!' zegt Rosa.

'Wel als mamma tijd heeft,' zegt Robin.

'En pappa?' vraagt meester Max.

'Pappa is weg,' zegt Robin.

'Ze zijn gescheiden,' zegt Bram. Hij weet dat goed, hij heeft het zijn moeder zelf horen zeggen.

Meester Max schudt zijn hoofd. 'Kom allemaal in de kring zitten,' zegt hij. Hij kijkt er zo ernstig bij, dat iedereen stilletjes doet wat hij zegt.

'Luister eens naar me,' zegt hij. 'Ik vind dat jullie niet aardig zijn voor Robin. Het is toch niet fijn dat zijn pappa ergens anders woont?'

Nee, dat is niet fijn, vindt Bram. Hijzelf stoeit altijd met pappa als die thuiskomt van zijn werk. Dan vechten ze en dan kietelt Bram pappa, net zolang totdat pappa 'Genade!' roept. Leuk is dat! Maar dat zou niet kunnen als pappa ergens anders woonde.

'En Robins moeder moet hard werken,' zegt meester Max. 'Daarom heeft ze soms geen tijd om Robin een schone broek aan te doen. Dat ruikt niet lekker, maar Robin zelf vindt dat ook niet prettig. Hè, Robin?'

'Nee,' zegt Robin.' 'Vanmiddag komt tante Jannie oppassen.'

'Kijk eens aan,' zegt meester Max. 'Weet je wat, dan vragen we vanmiddag aan tante Jannie of je in bad mag. En dan krijg je een schone broek en dan ruik je morgen op school het lekkerst van allemaal. Goed?'

'Ja!' zegt Robin.

'Ik heb het soms ook druk,' zegt meester Max. 'Dan heb ik niet eens tijd om me te scheren. Dan prikt mijn gezicht zo, dat niemand me een kusje wil geven. Maar ik zou het niet fijn vinden als ik dan word geplaagd.'

Nee, dat zou Bram ook niet fijn vinden. Pappa prikt ook weleens, maar dan plaagt Bram hem niet. Pappa is lief en het geeft niks dat hij soms prikt.

'Jullie vinden het toch ook niet fijn als je wordt geplaagd?' vraagt meester Max.

'Nee, meester,' zeggen de kinderen.

'Zullen jullie Robin dan niet meer plagen?'

'Nee, meester.'

'Goed zo,' zegt meester Max. 'Dan gaan we nu aan het werk. Wie wil er op het verfbord?'

'Ik!'

'Ik!'

Even later is iedereen druk aan het werk. Alleen Robin zit nog steeds op zijn stoel, er is niemand die met hem speelt. Want ja, morgen ruikt hij misschien lekker, maar nu stinkt hij nog steeds naar pies.

'Kom maar bij mij, Robin,' zegt meester Max, 'dan gaan we samen een boek lezen.'

'Ja!' zegt Robin en blij kruipt hij tegen meester Max aan.

Blind

Met zijn ogen dicht loopt Arif door de klas. Bam! Daar botst hij tegen de verftafel. Bom! Daar loopt hij tegen het schoolbord op.

'Arif, kijk een beetje uit,' zegt meester Max, die aan zijn tafel zit te schrijven.

'Ik ben blind!' zegt Arif en met dichte ogen loopt hij verder. Pats! daar loopt hij de poppenwagen van Susan omver. Kwaad geeft Susan hem een klap.

'Ik ben blind,' zegt Arif weer, 'je mag me niet slaan.'

Leuk! denkt Bram. Hij wil ook blind zijn. Meteen knijpt hij zijn ogen dicht en ook hij begint door de klas te lopen.

Vanmorgen heeft meester Max verteld over mensen die blind zijn; het is grappig om het na te doen.

Voorzichtig doet Bram een paar stappen. Het voelt raar om zo in het donker door de klas te lopen. Hij wordt er een beetje duizelig van. Met zijn ene hand voelt hij voor zich uit, of er niks is waar hij tegenaan kan botsen. Dat doen echte blinde mensen ook, heeft meester Max verteld.
Hij voelt een wollen trui en hoort dat iemand begint te giechelen. 'Je kietelt!'

Bram doet zijn ogen op een kiertje. Het is Rosa.

'Opzij!' zegt hij. 'Ik ben blind.' En hij knijpt zijn ogen weer dicht.

'Meester,' vraagt Rosa, 'mag ik ook blind zijn?'

Voordat meester Max antwoord kan geven heeft Rosa haar ogen al dicht. Ze steekt haar handen uit naar Bram en kriebelt aan zijn gezicht. Gauw draait Bram zich om en loopt weg. Ai, daar botst hij tegen de poppenwagen van Susan. Ook hij krijgt een klap. Vlug loopt hij verder.

'Ik wil ook blind zijn!' hoort hij Wim zeggen.

Algauw hoort Bram een druk geschuifel om zich heen. Een heleboel kinderen zijn voetje voor voetje, met hun ogen dicht, door de klas aan het lopen. Ze hotsen en botsen en struikelen. Puzzels vallen op de grond, een pot verfwater met kwasten rolt om, een plant wordt per ongeluk van de vensterbank geslagen. Het is echt een prachtig spel.

Meester Max denkt er anders over. 'Jongens, voorzichtig nou,' zegt hij. 'Straks gebeuren er ongelukken en dan hebben we de poppen aan het dansen.'

Pats! Daar botst Bram tegen iemand aan. Hij gluurt en ziet dat het Pieter is. Pieter grinnikt en botst terug. Daarna botst Bram tegen Rosa en Rosa tegen Alexander en... nou ja, binnen de kortste keren staan ze allemaal met halfdichte ogen tegen elkaar te botsen en te duwen, alsof ze botsautootjes op de kermis zijn. Bam! Bom! Boem! Steeds vlugger en steeds harder.

Au! Daar botst Arif wel erg hard tegen Bram. Het doet pijn. Hard botst Bram terug. Arif valt om, boven op Tamara, die speelt dat ze een blind hondje is. Tamara begint te huilen, Arif ook.

Een eindje verderop in de klas slaan Wim en Robin per ongeluk met hun hoofden tegen elkaar en beginnen ook te huilen. Luid snikkend wrijven ze over hun voorhoofd.

Vier huilende kinderen, dat maakt een hoop herrie. Hoofdschuddend kijkt meester Max om zich heen.

'Wat maken jullie weer een kabaal!' kreunt hij, terwijl hij zijn pen neerlegt. 'Soms zou ik willen dat ik doof was, dan hoefde ik die herrie niet te horen.'

Doof! denkt Bram. Wat een goed idee! Als je doof bent kun je niks horen. Dat is een nog leuker spel dan blind zijn. Meteen slaat Bram zijn handen tegen zijn oren. 'Ik ben doof!' roept hij uit.

De andere kinderen, die inmiddels allemaal hun ogen weer open hebben, zien wat Bram doet. Ze houden op met huilen en drukken hun handen tegen hun oren. Blij kijken ze elkaar aan.

Alleen meester Max kijkt niet blij.

'Jongens, het is mooi geweest. Er wordt geen blindemannetje meer gespeeld. Opruimen die troep en in de kring komen zitten, en gauw een beetje.'

Maar niemand van de kinderen ruimt op en niemand gaat in de kring zitten.

'Hebben jullie me niet gehoord?' bromt meester Max.

Hij krijgt geen antwoord. Natuurlijk heeft niemand hem gehoord, ze zijn immers doof.

'Goed,' zegt meester Max, 'als jullie zo graag doof willen zijn, moet je het zelf maar weten. Ik wou net een heel spannend boek gaan voorlezen, maar als jullie doof zijn kan dat niet.'

Voorlezen? Gaat meester Max voorlezen?

'Meester, ik ben niet meer doof!' zegt Bram. Hij holt naar zijn stoel en gaat in de kring zitten, en alle anderen doen dat ook.

Weer kijkt meester Max hoofdschuddend om zich heen,

naar twintig kinderen die braaf zitten te wachten tot het voorlezen gaat beginnen. ‘Stelletje apenkoppen,’ mompelt hij en dan zet ook hij zijn stoel in de kring.

De dode duif

Wat is daar aan de hand? denkt Bram. Bij een struik aan de rand van het schoolplein zitten Pieter en Peter op hun hurken naar iets te kijken. Bram rent naar hen toe. Als er iets leuks is, wil hij het ook zien.

Maar het is niks leuks waar Pieter en Peter naar zitten te kijken, het is iets akeligs. Op de grond, half onder de struik, liggen honderden kleine veertjes. En midden tussen die veertjes ligt een duif, een dode duif. Hij ligt op zijn rug, met zijn ogen dicht. Zijn buik is stuk, er hangen grijze draadjes en bolletjes uit.

'Getver!' zegt Bram. De duif ziet er vies en eng uit. Eén pootje steekt uit de buik van de duif naar boven, het andere pootje is eraf. Het ligt een eindje verderop tussen de veertjes.

Pieter kijkt naar hem op. 'Hij is dood,' zegt hij.

Ja, dat weet Bram ook wel. Het is een raar gezicht, al die draadjes en bolletjes die uit de buik van de duif hangen. Bram vindt het griezelig en toch kan hij niet ophouden ernaar te kijken.

'Heeft een kat gedaan,' zegt Peter.

Pieter pakt een stokje en prikt ermee in de duivenbuik. Meteen komen er nog veel meer glibberige draadjes en bolletjes uit die buik naar buiten. Het kopje van de duif beweegt. Pieter schrikt daar zo van, dat hij het stokje neergooit en wegholt. Peter en Bram hollen gillend achter hem aan. Pas als ze veilig bij de zandbak zijn, waar meester Max samen met Alexander zandtaarten aan het bakken is, blijven ze staan.

'Zag je dat!' fluistert Pieter opgewonden. 'Hij leeft nog!'

'Ja!' zegt Bram. Hij kijkt om naar de duif, maar ze zijn daar nu zo ver bij vandaan dat Bram niet goed kan zien of de duif beweegt.

'Wat zijn jullie aan het doen?' vraagt meester Max.

'We spelen,' zegt Peter.

'Goed zo,' zegt meester Max en hij gaat verder met zijn zandtaarten.

Stapje voor stapje lopen de drie jongens terug naar de struiken, heel voorzichtig, want stel je voor dat die duif ineens opvliegt, met al die enge dingen die uit zijn buik hangen. Verschrikkelijk!

Maar het beest blijft doodstil liggen.

Pieter pakt het stokje weer en prikt nog een keer in de buik. Er gebeurt niks.

'Nu is hij wel dood,' zegt Peter.

Bram gaat op zijn hurken zitten, om nog eens goed naar die glibberige draadjes en bolletjes te kijken. Wat ziet zo'n duif er raar uit vanbinnen. Over zijn buik kruipt een dikke, zwarte vlieg. De vlieg wrijft in zijn pootjes en kruipt in het gat in de buik.

Wat gaat die nou doen? Bram buigt verder naar voren, om het goed te kunnen bekijken.

Ineens geeft Peter de duif een schop. Het dode dier rolt om en om en de draadjes en bolletjes rollen mee. Op de plek waar de duif eerst lag blijft een plasje bloed achter. Bram springt op en schreeuwt van schrik.

'Stommerd!' roept hij.

Peter lacht hem uit. 'Haha, je bent bang!'

'We moeten hem begraven,' zegt Pieter. 'Dan gaat hij naar de hemel.'

Bram weet niet wat de hemel is, maar dat je iemand die dood is moet begraven, weet hij wel. De buurvrouw is ook dood en die is ook begraven. Ze ligt in een kuil in de grond, heeft mamma verteld.

'We begraven hem in de zandbak,' zegt Pieter.

'Ja!' zegt Bram. Hij wil meteen op zoek gaan naar een schep, maar nog voordat hij er een heeft gevonden, roept meester Max: 'Tijd om naar binnen te gaan!'

'We doen het vanmiddag,' zegt Pieter, 'als we weer buiten mogen spelen.'

Terwijl ze in de klas aan het werk zijn, moet Bram de hele tijd aan de dode duif denken. Hij kijkt door het raam, maar kan de duif niet zien. De plek waar hij ligt is te ver weg.

Als het eindelijk half twaalf is en de kinderen naar huis mogen om een boterham te eten, rennen Bram en Pieter en Peter meteen naar de struiken.

Maar de duif is verdwenen. Tussen de veertjes onder de struik ligt alleen nog het pootje, een klein roze pootje met kromme teentjes en witte nageltjes.

'Hij is naar de hemel,' zegt Pieter.

'O,' zegt Bram. Dan staat hij op en loopt gauw naar huis, om aan mamma te gaan vragen wat dat is, de hemel.

Tekeningen voor de juf

'Stil blijven zitten, hoor,' zegt meester Max, 'anders mislukt de tekening.'

Meester Max is een tekening van de kinderen aan het maken, om aan de zieke juf Wendy te geven. Die kan ze boven haar bed hangen.

'Wanneer komt de juf terug?' vroeg Susan vanmorgen.

'Voorlopig niet,' zei meester Max, 'ze moet van de dokter nog steeds in bed blijven. Zielig hè?'

Ja, zielig, vindt Bram. Maar voor de kinderen zelf is het ook zielig, ze willen dat de juf terugkomt. Ze is nu al zo lang niet op school geweest! Meester Max is lief, maar ze missen hun eigen juf.

'Ik heb een idee,' zei meester Max. 'Jullie gaan vandaag een mooie tekening voor de juf maken. Dat zal ze fijn vinden. Maak maar vrolijke tekeningen, daar wordt de juf blij van. Vanmiddag ga ik bij haar op bezoek, dan kan ik ze meenemen.'

De kinderen gingen meteen aan het werk. Bijna iedereen maakte een zon of een clown, want iets vrolijkers bestaat er niet. Meester Max zelf ging aan zijn tafel zitten, met een kopje koffie en met een stapel papieren die hij wilde lezen.

'Asjemenou,' mompelde hij, 'wat een dikke stapel papieren om te lezen. Daar heb ik helemaal geen zin in.' Hij schoof de papieren opzij, keek de klas rond en zei: 'Ik ga ook een tekening voor de juf maken.'

Alle kinderen keken naar hem op.

'Moet je horen,' zei meester Max. 'Ik ga een tekening van jullie maken, een prachtige tekening van alle kinderen uit de klas en die geef ik aan de juf. Dan kan ze die boven haar bed hangen en dan kan ze de hele dag naar jullie kijken. Wat een goed idee! Leg je werk neer en kom hier zitten.'

Hun werk neerleggen? De kinderen waren net zo fijn bezig met tekenen!

'Ga daar straks maar aan verder,' zei meester Max, 'eerst even hier komen zitten, het is zo klaar.'

En daar zit de klas nu, in twee rijen, tien kinderen op stoelen en tien kinderen op de grond, net als een voetbalploeg die op de foto gaat.

'Zo,' zegt meester Max, 'eens even zien. Eerst jullie hoofden.'

Hij heeft een tekenboek op schoot en naast hem op een tafeltje ligt een doos kleurpotloden. Bram ziet dat meester Max rondjes op het papier tekent.

'Kijk eens,' zegt meester Max en hij houdt het papier omhoog. 'Dat zijn jullie hoofden. Mooi hè?'

Bram kijkt. De rondjes lijken niet op hoofden, vindt hij, ze lijken op rondjes.

'Dat hoort zo,' zegt meester Max. 'Eerst lijken het gewone rondjes, en later worden het jullie hoofden. Zit nou stil, anders mislukt de tekening.'

En meester Max werkt verder. Hij pakt het ene potlood na het andere. Hij krast en kleurt en gumt en mompelt: 'Wat mooi! Wat wordt het mooi!'

'Meester,' vraagt Arif, 'wanneer mogen wij weer gaan tekenen?'

'Niet zo zeuren,' zegt meester Max. 'Hé, waar is mijn paarse potlood gebleven?'

Bram kijkt door het raam. Groep één, de klas van juf Mieke, is buiten aan het spelen.

Dat zou hij ook wel willen. Het is lekker weer, echt weer om in de zandbak te gaan scheppen.

'Even wachten, jongens, even een paars potlood zoeken,' zegt meester Max, 'anders kan ik de paarse broek van Barbara niet natekenen.' Hij loopt naar de kast waarin de potloden worden bewaard. Als hij na lang zoeken eindelijk een paars potlood heeft gevonden, kan hij verder tekenen.

Bram voelt zijn been prikken. Hij zit in kleermakerszit op de grond en altijd als hij lang in kleermakerszit op de grond zit, krijgen zijn benen daar genoeg van. Dan beginnen ze te prikken. Er is maar één ding dat daartegen helpt: opstaan en heen en weer lopen.

Maar Bram mag niet opstaan van meester Max en al helemaal niet heen en weer lopen, want nog steeds is de tekening niet klaar. Fluitend werkt meester Max door, terwijl de kinderen steeds ongeduldiger worden...

Groep één is al lang niet meer op het schoolplein. Er schuiven wolken voor de zon en het begint zachtjes te regenen. Bij het hek staan een paar moeders te wachten tot de school uitgaat. En eindelijk, eindelijk zegt meester Max: 'Klaar!'

Dat werd tijd! De kinderen springen op en rennen terug naar hun tafel.

Meester Max zelf blijft zitten. Hij houdt zijn tekening omhoog en kijkt er lang naar.

'Wat een tekening!' zegt hij. 'Wat een ontzettend mooie tekening! Hebben jullie ooit zo'n schitterende tekening gezien? Wat knap van mij, dat ik zo mooi kan tekenen. Ik heb talent, ik ben een kunstenaar!'

Hij laat de tekening aan iedereen zien. Het is een gewone tekening van poppetjes. De poppetjes lijken nog steeds niet op de kinderen van groep twee. Die hebben trouwens geen tijd om lang naar die poppetjes te kijken; ze moeten hard doorwerken aan hun eigen tekeningen. Anders zijn ze niet klaar als het tijd is om naar huis te gaan.

Meester Max zit nog steeds op zijn stoel met het portret van de klas in zijn handen. Hij zegt: 'Deze prachtige tekening ga ik niet aan juf Wendy geven, hoor, dat is zonde. Ik vind hem te mooi, ik hou hem zelf. Ik hang hem in de klas aan de muur, dan kunnen de moeders hem ook zien. Goed plan, hè?'

Hij staat op en houdt de tekening tegen de muur boven zijn tafel.

'Waar zal ik hem hangen? Hier? Toe nou, kijk nou even. Vinden jullie dit een goeie plek? Of dit? Zal ik hem hier hangen?'

Maar niemand luistert nog naar de meester, iedereen is hard aan het werk. De grote wijzer op de klok is bijna bij de zes. Nog een paar minuten en het is half vier, nog een paar minuten en het cadeautje voor die arme zieke juf moet af zijn…

Meester Max wil meedoen

Het is stil in de klas. Buiten regent het hard, druppels tikken tegen het raam. Door een kiertje loopt een straaltje water in de vensterbank. Binnen is iedereen gezellig aan het spelen, in de poppenhoek, aan de verftafel, bij de verkleedkist. Bram ligt in de leeshoek op een kussen en kijkt platen in een prentenboek. Iedereen is lekker bezig, alleen meester Max doet niks. Hij zit aan zijn tafel om zich heen te kijken.

'Wat zijn jullie lief vandaag,' zegt hij, 'zo stil heb ik jullie nog nooit gezien.'

Hij krijgt geen antwoord, de kinderen hebben het te druk om met meester Max te praten.

Bram slaat een bladzijde om. Zijn boek gaat over een rups die alles opeet wat hij tegenkomt. Bram kent het verhaal goed, de juf heeft het dikwijls voorgelezen. Het is leuk om er nu zelf in te bladeren. Het lijkt net of Bram kan lezen, want hij weet precies hoe het verhaal gaat.

Meester Max staat op van zijn stoel en loopt naar de verftafel.

'Gaat het goed hier?' vraagt hij. 'Moet ik jullie helpen?'

Arif kijkt naar hem op. 'Nee meester, u hoeft niet te helpen.' En Arif gaat verder met zijn schilderij.

'O,' zegt meester Max. 'Goed zo.' Aarzelend loopt hij weg van de verftafel.

De rups in het boek van Bram eet eerst een appel, daarna twee peren en vervolgens drie pruimen. De bladzijden in het boek worden steeds groter en de buik van de rups wordt steeds voller. Er zitten gaatjes in de bladzijden, waar Bram zijn vingers doorheen steekt. Als de juf het voorleest, mag dat nooit. 'Daar gaat het boek stuk van,' zegt ze altijd. Maar nu mag het wel, want er is niemand die het ziet.

Meester Max is naar de poppenhoek gelopen. 'Wat spelen jullie?' vraagt hij.

'Ziekenhuisje,' antwoordt Rosa. 'Alle poppen zijn ziek en ik ben de dokter en Barbara is de zuster.'

'Wat zielig voor die poppen dat ze ziek zijn!' zegt meester Max. 'Zal ik ze een prik geven?'

'Ze hebben al een prik gehad,' zegt Barbara en ze buigt zich over een bedje waar een pop in ligt.

'O,' zegt meester Max. 'Speel maar lief verder, hè?'

Vier aardbeien eet die hongerige rups en ook nog vijf sinaasappels. Logisch dat hij straks buikpijn krijgt, denkt Bram. Zijn buik is te klein voor al dat eten. Maar het leukste moet nog komen! Blij slaat Bram weer een bladzijde om.

Ondertussen staat meester Max bij de puzzeltafel te kijken.

'Ai,' zegt hij tegen Wim, 'wat heb jij een moeilijke puzzel gepakt. Zal ik je helpen de goeie stukjes te vinden?'

'Nee, dat is niet leuk!' zegt Wim. 'Ik kan het zelf!'

'Toe nou,' zegt meester Max, 'ik vind het fijn om te helpen.'

Wim legt zijn armen beschermend over zijn puzzel. 'Ik wil het zelf doen.'

Ah, nu komt de allerleukste bladzijde, ziet Bram. De rups eet lekkere dingen: ijs en taart en worst en nog meer taart en zelfs een lolly. O, o! Kijk eens wat een pijn in zijn buik hij heeft! Arme rups! Hij eet een blad op en daar wordt hij beter van.

'Ben je fijn aan het lezen, Bram?' vraagt meester Max. 'Wat voor boek heb je?'

Bram laat hem het boek zien.

'*Rupsje Nooitgenoeg*, leuk!' zegt meester Max. 'Zal ik je voorlezen?'

Maar Bram wil niet dat meester Max voorleest. Hij ligt veel te lekker zelf te lezen.

'Jongens, wat is dat nou?' zegt meester Max een beetje boos. 'Mag ik dan niemand helpen?'

Weer krijgt hij geen antwoord, de kinderen hebben nog steeds geen tijd voor hem.

'Ik vind er niet veel aan, vandaag,' bromt meester Max. 'Ik heb niks te doen.'

Droevig loopt hij terug naar zijn tafel, waar hij weer om zich heen gaat zitten kijken.

Kijk! De rups bouwt een huisje voor zichzelf. In dat huisje gaat hij liggen slapen. Na een hele poos knabbelt hij een gat in het huisje en daar kruipt zomaar ineens een wonderschone vlinder uit het huisje tevoorschijn. Rupsje Nooitgenoeg is in een vlinder veranderd, in de mooiste vlinder van de wereld! Afgelopen.

Tevreden slaat Bram het boek dicht en gaat op zijn rug in de kussens liggen. Wat een geweldig boek, bijna net zo leuk als *Max en de Maximonsters*.

De moeder van meester Max

'Meester,' vragen Bram en Rosa, 'mogen we straks helpen met planten water geven?'

Dat mogen ze wel vaker. Als de school uit is en alle andere kinderen gaan naar huis, dan blijven zij soms nog even om meester Max te helpen met karweitjes. Rosa woont, net als Bram, dicht bij school en wordt ook haast nooit door haar moeder opgehaald.

Helpen met karweitjes is leuk, dan lijken Bram en Rosa zelf ook wel een meester en een juf. Maar vandaag zegt meester Max: 'Nee, een andere keer. Als de school uit gaat, wil ik meteen weg. Ik ga bij mijn moeder op visite.'

Moeder? denkt Bram. Rosa en hij kijken elkaar verbaasd aan. Heeft meester Max een moeder?

'Natuurlijk heb ik een moeder,' zegt meester Max. 'Jullie toch ook?'

Ja, maar Bram en Rosa zijn nog kinderen en meester Max is al oud.

'Zo oud ben ik nog niet, hoor,' zegt meester Max. 'Ik ben vierendertig. Ruim je spullen op allemaal en ga in de kring zitten, want het is bijna tijd.'

Vierendertig! De moeder van Bram is achtentwintig en zijn vader is negenentwintig. Dat is minder dan vierendertig.

'Mijn moeder is veertig,' zegt Pieter.

'Mijn moeder is dertig!' zegt Arif.

Alle kinderen roepen door elkaar hoe oud hun moeders zijn.

Freddy gilt: 'Mijn moeder is honderd!'

Niemand anders heeft een moeder die al honderd is, dus de moeder van Freddy is het oudst van allemaal. Trots kijkt Freddy de kring rond.

Bram is jaloers, hij zou graag willen dat zijn moeder ook honderd was.

Barbara roept: 'Haha, de meester heeft een moeder! De meester is een kleine ukkepuk.'

'Barbara, hou op,' zegt meester Max. 'Ik snap niet wat er zo vreemd aan is dat ik een moeder heb. Ik heb ook nog een oma.'

Ja, maar dat is heel wat anders, vindt Bram. Iedereen heeft een oma, dus het kan best dat meester Max er ook een heeft. Maar een moeder? Die grote meester Max?

'Meester, als u stout bent moet u voor straf naar bed van uw moeder!' zegt Barbara.

'Kinderen, wat een onzin!' zegt meester Max. 'Grote mensen hebben ook vaders en moeders, dat is heel gewoon. Ik woon niet meer bij mijn moeder en ik hoef ook nooit meer vroeg naar bed, maar ze is nog steeds mijn moeder en dat blijft ze mijn hele leven lang. En als ik zelf kinderen krijg, dan wordt ze oma.'

'Ja,' knikt Arif, 'dan wordt ze uw oma.'

'Nee, niet mijn oma,' zegt meester Max, 'ik heb toch al een oma? Mijn moeder wordt de oma van mijn kinderen. En mijn oma wordt de overgrootmoeder van mijn kinderen.'

De hele klas is stil. Nadenkend kijken de kinderen naar de meester.

'Meester, ik snap het niet,' zegt Wim na een tijdje.

Bram begrijpt er ook niet veel van.

'Luister, dan zal ik het nog één keer uitleggen,' zegt meester Max met een zucht. 'Ik...'

Er klinkt kabaal op de gang. De kinderen van groep één zijn hun jas aan het aantrekken.

'Tijd om naar huis te gaan,' zegt meester Max. 'Morgen praten we verder.'

De meeste kinderen lopen netjes met meester Max mee naar de wachtende vaders en moeders op het schoolplein, maar Bram en Rosa blijven treuzelen in de klas. Je weet maar nooit of meester Max misschien toch een karweitje te doen heeft.

Terwijl ze wachten tot meester Max terugkomt, stapt een vreemde mevrouw de klas in. Ze heeft een hoed op en een lange groene jas aan. Bram en Rosa hebben haar nog nooit gezien.

'Dag kinderen,' zegt ze vriendelijk. 'Ik zoek meester Max. Weten jullie waar hij is?'

Het is een oude mevrouw, vast en zeker de moeder van de meester, denkt Bram.

En dat zegt hij dan ook. 'Ik weet wie u bent. U bent de moeder van de meester.'

De mevrouw begint te lachen.

'Zijn moeder? Nee hoor, ik ben de zus van de meester. Ik kom hem halen, we gaan samen bij onze moeder op visite.'

Zijn zus? Is die oude mevrouw de *zus* van de meester?

Nu wordt het wel erg ingewikkeld. Veel te ingewikkeld voor Bram. Hij heeft geen zin om er verder over na te denken.

'Kom op,' zegt hij tegen Rosa, 'we gaan aan mijn moeder vragen of we snoep krijgen.'

'Ja,' zegt Rosa.

En zonder nog iets te zeggen tegen de zus van meester Max lopen ze de klas uit.

Dierendag

‘Zachtjes doen,’ zegt meester Max, ‘anders jagen we ze weg.’

Stilletjes lopen de kinderen achter hem aan de trap op, er is niemand die iets zegt.

Het is dierendag en ze zijn op weg om dieren in het wild te bekijken. Eigenlijk wilden de kinderen vandaag hun huisdier mee naar school nemen, maar dat mocht niet. Flauw van meester Max, in sommige andere klassen mag het wel.

‘Niks ervan,’ zei meester Max, ‘dat gesleep met jullie arme huisdieren is zielig. Ik heb een beter idee, we gaan dieren in het wild bekijken.’

Dieren in het wild bekijken! Dat leek Bram wel wat. Misschien gingen ze wel naar een oerwoud met leeuwen en tijgers, of naar een gevaarlijke rivier met krokodillen.

Maar nee, ze zijn op weg naar de zolder van de school.

Ook daar zijn wilde dieren te vinden, heeft meester Max gezegd. Bram vindt dat raar en de meeste andere kinderen ook.

'Wacht maar af,' zei meester Max, 'en geen herrie maken, anders komen ze niet tevoorschijn.'

Meester Max is nu boven aan de trap. Voorzichtig doet hij het luik van de zolder open. 'Kom maar achter me aan,' fluistert hij.

Een voor een stappen de kinderen de zolder op. Het is er nogal donker en het ruikt er zo raar, dat Bram nieskriebels in zijn neus krijgt. Hij is hier nooit eerder geweest. Kleuters mogen niet op zolder komen, heeft juf Wendy weleens verteld. Dat mogen alleen de kinderen van groep acht, als ze gaan oefenen voor een toneelstukje. Maar de juf is nog steeds ziek en meester Max is de baas van de school, dus nu mogen de kleuters wel op zolder komen.

'Goed om je heen kijken,' fluistert meester Max als iedereen boven is, 'misschien krijg je ze dan te zien.'

Bram kijkt goed om zich heen, maar hij ziet geen wilde dieren.

Maakt meester Max een grapje?

'Meester, het is niet waar!' zegt Pieter. 'Er zijn hier geen wilde dieren.'

'Nee, dat kan helemaal niet op zolder,' zegt Barbara.

'O, jawel,' zegt meester Max, 'het zit hier vol met dieren. Er zijn muizen en spinnen, en vliegen en muggen en torretjes en misschien zitten er zelfs een paar vleermuizen in een hoekje weggekropen te slapen, vlak onder het dak. Kijk maar goed.'

Een paar kinderen kijken angstig om zich heen, maar Bram is teleurgesteld. 'Dat zijn geen wilde dieren!' zegt hij. 'Dat zijn gewone dieren.'

'Ze wonen hier en ze horen hier en ze zitten niet in een

kooi,' zegt meester Max. 'Dus zijn het echte wilde dieren.'
'Maar ze zijn niet gevaarlijk!' zegt Wim.
'Gelukkig niet!' zegt meester Max. 'Anders zou ik hier niet durven komen. Zien jullie al wat?'
Niemand ziet iets.
'Ga zitten,' zegt meester Max. 'Oren wijdopen en goed luisteren. Misschien dat we ze dan horen.'
De kinderen gaan zitten. Er liggen een paar kussens op zolder, lang niet genoeg voor de hele klas, maar iedereen wil op een kussen zitten. Er wordt gevochten om de beste plekjes en de kinderen maken daarbij zo'n herrie dat zelfs een wilde olifant ervoor op de vlucht zou slaan. Eindelijk zit iedereen en dan wordt het stil op zolder, heel stil...
Bram heeft zijn oren wijdopen en luistert goed. Eerst hoort hij niks en weer denkt hij: Zie je wel, er zijn hier geen dieren.
Maar dan ineens... kraakt daar iets, in een hoekje van de zolder? Knaagt daar iets? Piept daar iets? Ja, Bram weet zeker dat hij wat hoort. Daar, achter die doos, daar trippelt iets over de planken vloer. Een muis? Een wilde muis?
Bram rilt en blijft doodstil zitten. De andere kinderen ook. Iedereen luistert, iedereen is stil.
Bij het zolderraam klinkt gezoem. Onder de vloer, precies op de plek waar Bram zit, is geschuifel te horen. En vlak naast zich hoort Bram weer getrippel. Hij kijkt, maar ziet niks. Voorzichtig schuift hij dichter naar meester Max toe.
'En?' vraagt meester Max. 'Horen jullie wat?'
'Ja...' fluisteren een paar kinderen. Sommige anderen knikken, maar de meesten doen niks en blijven luisteren.
'Knerrrp,' klinkt het bij een doos.
'Ktchhhh,' hoort Bram achter zich. Weer rilt hij en weer schuift hij dichter naar meester Max toe.
De zolder is vol dieren, vol kleine, wilde dieren, Bram weet

het zeker, al is er nog steeds geen enkel dier dat tevoorschijn komt. Wat geweldig en griezelig tegelijk...

'Kchrakkk... tsjierrrp... prrrt...'

'Meester,' fluistert Susan, 'ik moet plassen.'

'Ssst,' zegt meester Max, 'zometeen, Susan.'

'Meester,' fluistert Pieter, 'ik moet ook plassen.'

Op datzelfde moment voelt Bram dat ook hij moet plassen, heel nodig. En niet alleen hij, nee, de halve klas steekt zijn vinger op, iedereen moet naar de wc.

En nu Bram de plas voelt die zijn buik uit wil, hoort hij meteen geen wilde dieren meer. Hij hoort alleen nog de andere kinderen, die fluisteren en mompelen en wiebelen.

Even kijkt meester Max om zich heen, naar al die ongeduldig wiebelende kinderen, dan zegt hij: 'Luister, we staan nu stilletjes op en dan gaan we stilletjes weg, zodat we de dieren niet aan het schrikken maken.'

Maar ja, kinderen die nodig moeten plassen willen niet stilletjes opstaan, die willen naar de wc.

Gillend en schreeuwend stormen ze de trap af.

'Hé hé hé, stelletje wilde zolderdieren, rustig een beetje!' roept meester Max hen achterna, maar er is niemand die nog naar hem luistert.

Een minimonster in de klas

'Van mij! Hij is van mij!' Rikkie grist een dikke bruine beer uit de handen van Bram en rent ermee naar zijn moeder. Met de beer in zijn armen kruipt hij bij haar op schoot.

Beteuterd kijkt Bram hem na. Hij was net zo leuk met de beer aan het spelen en nu heeft Rikkie hem. Het liefst zou hij het speelgoedbeest meteen terugpakken, maar hij durft niet met die moeder in de buurt.

'Laat hem maar,' zegt meester Max, 'Rikkie is klein, hij weet nog niet dat dat niet mag. Jij bent al groot, Bram, pak maar een andere beer.'

'Ja,' zegt Bram sip. Soms is het niet fijn om groot te zijn.

Rikkie is vandaag voor het eerst op school. Nou ja, hij is niet echt op school, hij is op bezoek. Binnenkort gaat hij echt naar school, als hij vier jaar is. Vanmorgen is hij een uurtje op visite, samen met zijn moeder.

'Dan kan hij aan ons wennen en zien hoe leuk het hier is,' zei meester Max.

Eerst heeft de meester *Max en de Maximonsters* voorgelezen. Rikkies moeder zat in de kring mee te luisteren, met Rikkie op schoot. Daarna mocht iedereen gaan spelen. Ook Rikkie.

'Geen ruwe spelletjes doen, hoor,' zei de moeder tegen de andere kinderen, 'anders wordt Rikkie bang. Hè schat, je vindt het eng met al die vreemde kinderen.'

Grommend trok Rikkie zich los uit haar armen. 'Ik vreet je op!' brulde hij, net als Max in het boek. 'Ik ben een Maxi-

monster!' Hij rende weg en schopte een blokkentoren om.

'Hé, rustig een beetje!' riep meester Max.

Toen kwam Rikkie op Bram af en greep de beer.

En daar zit hij nu, met de beer in zijn armen bij zijn moeder op schoot, gemeen om zich heen te kijken.

'Wat een mooie beer,' zegt de moeder, 'ga daar maar lief mee spelen, knul.'

'Ik ben een Maximonster!' gromt Rikkie weer en hij begint monsterlijk hard te brullen.

Een paar kinderen kijken boos naar hem op. Wat een herrieschopper! Bram hoopt dat hij gauw weggaat. Hij loopt naar de watertafel, om met Rosa onderzeebootje te spelen.

Rikkie laat zich van zijn moeders schoot glijden. Hij gooit de dikke bruine beer op de grond en komt ook naar de watertafel. Zonder iets te zeggen kijkt hij een tijdje naar Bram en Rosa, die met hun onderzeeboot over de bodem van de zee varen. De boot maakt een gevaarlijke reis: als je te lang onder water blijft, verdrink je.

'Wat is de zee diep!' zegt kapitein Bram.

'Wat zijn er veel haaien!' zegt matroos Rosa. 'We gaan ze vangen, kapitein!'

Splashh! Keihard slaat Rikkie met zijn hand op het water.

Bram en Rosa zijn kleddernat. Rotjoch! Bram zou hem een hele harde klap willen geven. Maar Rikkie is naar de andere kant van de klas gehold, waar hij aan de gordijnen van de poppenkast staat te trekken.

'Kijk eens, meester,' zegt de moeder trots. 'Rikkie voelt zich al helemaal thuis, hij is zo lief aan het spelen.'

Meester Max kijkt niet blij. 'Voorzichtig, Rik,' zegt hij, 'anders gaat de poppenkast stuk.'

'Ik vreet je op!' brult Rikkie opnieuw.

De moeder klapt in haar handen van plezier. 'Wat een deugniet!' schatert ze.

En zo gaat het maar door. Bij de verftafel pakt Rikkie een kwast en daarmee maakt hij een paar grote klodders op de verftekening van Susan. In de poppenhoek trekt hij aan Barbara's haren en voor de zoveelste keer gilt hij: 'Ik ben een Maximonster!' Hij rent door de klas en botst hard tegen de puzzeltafel, waardoor de puzzel van Arif in stukken uit elkaar valt. En die moeder vindt het allemaal leuk. Blij loopt ze achter Rikkie aan.

Niemand kan nog fijn spelen, iedereen wordt lastiggevallen door dat nieuwe kind.

Ook meester Max krijgt er genoeg van, dat zie je zo. Hij kijkt streng.

'Mevrouw,' zegt hij tegen Rikkies moeder, 'het visite-uur is om, neem Rikkie maar lekker mee naar huis.'

Gaan ze weg? Gelukkig! Bram is blij toe.

'Zeg maar dag tegen de kinderen, Rikkie,' zegt de moeder.

Rikkie zegt niks en springt zijn moeder in haar armen. Zo draagt ze hem de klas uit.

'Hèhè, die is weg,' zegt meester Max. 'Dat joch is geen Maximonster, het is een minimonster!'

Een paar kinderen moeten daarom lachen. Maar Bram is jaloers. 'Meester?' vraagt hij. 'Mogen wij ook minimonsters zijn?'

Iedereen kijkt op naar meester Max. Ja, ze willen minimonsters zijn. Ze willen rennen en schreeuwen en aan gordijnen trekken en met verf en water spatten, net als Rikkie.

'Jullie mogen ook minimonsters zijn,' zegt meester Max. 'Maar niet in de klas, één zo'n kabaalschopper is meer dan genoeg voor vandaag. We gaan naar het speellokaal om minimonster te spelen.'

Snel ruimen de kinderen hun werkjes op. En terwijl ze daarmee bezig zijn, zegt meester Max: 'Weet je wat? Terwijl jullie opruimen ga ik even naar juf Mieke. Ik ga aan haar vragen of Rikkie bij haar in de klas mag, als hij echt bij ons op school komt.'

En dat vindt iedereen een geweldig idee.

Een brief van de juf

'Kijk eens wat ik hier heb!' zegt meester Max. 'Een brief van juf Wendy. Kom gauw bij me zitten, dan lees ik voor wat ze heeft geschreven.'

Een brief van de juf! Leuk! Meteen stoppen de kinderen met werken. Ze komen dicht om meester Max heen zitten. En meester Max leest voor:

'Lieve kinderen!
Wat een mooie tekeningen hebben jullie gemaakt. Ik heb ze aan de muur boven mijn bed geprikt. Elke keer als ik ernaar kijk word ik vrolijk. Ik mis jullie, lieve schatten. Missen jullie mij ook? Gelukkig maar dat meester Max bij jullie in de klas is. Nu kan ik lekker in bed blijven, net zolang tot ik weer beter ben.

Honderd kusjes van juf Wendy.'

Stil luisteren de kinderen naar meester Max, terwijl hij de brief voorleest. En als hij klaar is met voorlezen zijn ze nog steeds stil. Een brief van hun juf, van hun eigen lieve juf Wendy. Wat hebben ze haar al lang niet gezien! Maar ze schrijft niet wanneer ze terugkomt.

'Wat een mooie brief!' zegt meester Max tevreden. 'Boffen jullie even met zo'n lieve juf!'

Ja, Bram vindt ook dat hij boft met zo'n juf. Ze is de liefste juf van de wereld. Altijd doet ze leuke dingen met de klas. Ze leest zo spannend voor! Als Bram gevallen is en pijn heeft, mag hij bij haar op schoot zitten. En soms, als het koud is, knoopt ze zijn jas dicht voordat hij naar huis gaat en dan kriebelt ze hem zo lekker in zijn haren dat hij ervan moet giechelen.

Bram moet aan al die dingen denken, hij moet er zo erg aan denken dat hij er verdrietig van wordt. Zijn juf, zijn eigen lieve juf...

'Meester,' vraagt Arif, die ook al stilletjes voor zich uit zat te kijken, 'wanneer is de juf weer beter?'

'Ik weet het niet,' antwoordt meester Max, 'ik hoop gauw.'

'Morgen?' vraagt Arif.

'Nee, morgen nog niet. Over een paar weken misschien.'

Een paar weken! Wat ontzettend lang, zo lang kan Bram echt niet meer zonder zijn eigen juf.

'Meester,' zegt Barbara, 'jij moet weggaan. De juf moet terugkomen.'

Ja, meester Max moet weggaan. Als hij weg is, komt de juf terug. Bram weet zeker dat het zo zal gaan.

'Lieve help!' zal de juf zeggen. 'Meester Max is weg, nu zijn die arme kinderen helemaal alleen. Laat ik maar gauw naar ze toe gaan.'

'Maar kinderen!' zegt meester Max. 'Jullie vinden het toch fijn dat ik in de klas ben? Ik ben toch ook lief voor jullie?'

'Nee!' zegt Peter. 'De juf moet terugkomen.'

Alle kinderen beginnen nu te grommen en te joelen. 'Jij

moet weggaan, meester. We willen dat de juf terugkomt.'

Bram krijgt er tranen van in zijn ogen, zo erg vindt hij het dat juf Wendy er niet is. Het is de schuld van meester Max. Omdat hij in de klas is komt ze niet terug. Die vervelende meester Max! Kwaad kijkt Bram hem aan. 'Stomme meester,' bromt hij.

Meester Max zelf kijkt nu ook boos. 'Ho ho ho,' zegt hij. 'Niet zo lelijk tegen me doen, hoor. Dat is nergens voor nodig.'

'We willen niet dat jij onze meester bent,' zegt Pieter. Hij draait zijn stoel om en gaat met zijn rug naar meester Max toe zitten.

'Stomme meester,' zegt Bram weer en ook hij draait zijn stoel om. Hij wil niet meer naar die akelige meester Max kijken.

Tientallen stoelpoten krassen over de vloer; alle kinderen willen zich omdraaien om met hun rug naar meester Max toe te gaan zitten.

Met een zware bromstem begint meester Max te mompelen. 'Tjongejonge, wat een boze kinderen ineens.' Hij zucht diep en zegt dan: 'Luister nou eens goed naar me. Jullie juf komt binnenkort echt weer terug. Geloof me maar. Ik wil ook graag dat ze weer naar school komt. Ik mis haar ook, want ik vind haar ook een lieve juf. Maar eerst moeten we wachten tot ze beter is, daar kan ik heus niks aan doen.'

'Jij moet weg,' zegt Peter weer.

'Als de juf er weer is, ga ik weg,' zegt meester Max. 'Maar jullie moeten nog even geduld hebben.'

'Nee!' zegt Arif kwaad.

'Toe nou!' zegt meester Max. 'Als jullie ziek zijn, willen jullie toch ook in bed blijven? Stel je voor dat je met koorts naar school zou gaan! Daar word je alleen maar nog zieker van en dat is helemaal niet fijn.'

Dat is waar, denkt Bram. Als hijzelf ziek is, wil hij ook in bed liggen.

'En stel je voor,' gaat meester Max door, 'dat de juf zou merken wat een boze kinderen hier in de klas zitten. Daar zou ze erg droevig van worden. "Is dat mijn groep twee?" zou ze zeggen. "Die boze kinderen? Bah! Ik blijf nog een poosje ziek hoor. Ik wil geen klas met boze kinderen. Ik wil een klas met lieve, vrolijke kinderen. Van vrolijke kinderen word ik snel beter, van boze kinderen niet."'

Bram draait zich om, om naar meester Max te kijken.

'Echt waar?' vraagt hij.

'Ik weet het zeker,' zegt meester Max. 'En weet je wat? Als jullie nu lief aan het werk gaan, zal ik een brief aan de juf schrijven. Dan zal ik haar vertellen hoe graag jullie willen dat ze terugkomt.'

Dat wil Bram wel, dat de meester dat schrijft. Als de juf dat leest, is ze vast meteen beter.

'Zal ik dat doen, een brief aan haar schrijven?' vraagt meester Max.

'Ja!' zeggen een paar kinderen blij.

'Afgesproken,' zegt de meester. 'Maar dan eerst aan het werk gaan, allemaal. En niet meer zo boos doen, hoor.'

Gehoorzaam staan de kinderen op, om hun stoelen weg te zetten. Braaf gaan ze aan het werk. Maar de hele ochtend blijft het stil in de klas, verdrietig stil.

Herfstdiertjes

'Tja,' zegt meester Max, 'ik vind het moeilijk, ze zijn allemaal mooi.'

'Maar u moet zeggen welke de allermooiste is.'

De hele klas zit om een tafel vol herfstdiertjes. De kinderen hebben die zelf gemaakt. Eerst zijn ze naar het park geweest, om kastanjes en eikels en mooi gekleurde bladeren te zoe-

ken. Die hebben ze mee naar school genomen, om er herfstdiertjes van te knutselen.

'Maak er maar prachtige beestjes van,' zei meester Max. 'Kastanjehondjes en eikelpaardjes en bladvogeltjes. Als ze klaar zijn, zetten we ze in de vensterbank, zodat de moeders ernaar kunnen kijken.'

Meester Max deed voor hoe het moest en toen waren de kinderen aan de beurt.

'Meester?' vroeg Rosa. 'Mogen we wedstrijdje doen? Dan moet u zeggen wat het mooiste herfstdiertje is.'

Ja, wedstrijdje! De hele klas had er zin in. Wedstrijdje doen is spannend.

Alleen meester Max vond het geen goed idee. 'Ik hou niet van wedstrijdjes,' zei hij. 'Dan is er maar één die wint en dan moeten de anderen huilen.'

Huilen? denkt Bram. Hoe komt meester Max daarbij? Dat je kunt winnen is juist leuk! Dan doet Bram nog beter zijn best dan anders.

'Zullen jullie dan niet verdrietig zijn als je niet wint?' vroeg meester Max.

'Nee, meester.'

'Echt niet?'

'Echt niet, meester.'

'Jullie je zin,' zei meester Max, 'we doen een wedstrijd wie het mooiste herfstdier kan maken. Aan het werk!'

En nu zit meester Max al heel lang naar de herfstdieren te kijken. Het is spannend: welke zal hij uitkiezen? De kinderen zijn er stil van. Bij een wedstrijd hoort een prijs; Bram wil die prijs graag winnen.

'Vooruit,' zegt meester Max eindelijk. 'Ik heb een herfstdier uitgekozen. De winnaar is... Arif! Hij heeft het mooiste herfstdier gemaakt, hij heeft gewonnen.'

'Yes!' roept Arif uit. Trots kijkt hij om zich heen.

Bram weet niet wat hij hoort. Arif? Heeft Arif gewonnen? Hoe kan dat nou? Zijn herfstdier is lang niet zo mooi als dat van Bram. Het heeft maar drie poten en zijn kop zit scheef en zijn staart zit slordig. Hoe kan Arif hebben gewonnen?

Ook andere kinderen vinden het maar niks dat meester Max het dier van Arif heeft uitgekozen. Boos beginnen ze te mopperen.

'Mijn herfstdier is veel mooier!'

'Het mijne ook!'

'Het mijne ook!'

Pieter slaat boos tegen de tafel, waardoor een paar herfstdieren omvallen.

'Hou daarmee op!' zegt meester Max. Hij buigt zich over de tafel en zet de omgevallen diertjes rechtop. 'Wat zeuren jullie nou? Jullie wilden toch wedstrijdje doen?'

Ja! denkt Bram. Maar hij wilde niet dat Arif zou winnen, hij wilde zelf winnen.

Meester Max moppert wat en vertelt nog eens dat er maar één winnaar kan zijn bij een wedstrijd, zo hoort het nou eenmaal.

Maar de kinderen blijven boos.

'Het is gemeen!' roept Susan uit. 'Het herfstdier van Arif is lelijk!'

'Nietes,' zegt Arif.

'Wel!' zegt Peter.

Meester Max slaakt een diepe zucht. 'Oké, oké,' zegt hij, 'de andere herfstdieren zijn ook mooi. Weten jullie wat? Jullie hebben zo je best gedaan, jullie hebben allemaal gewonnen. Fijn hè?'

Maar nu begint Arif te mopperen. 'Niet! Je zei dat ik gewonnen had.'

'Dat is waar,' geeft meester Max toe, 'maar toen had ik nog niet goed gekeken. Nu heb ik goed gekeken en nu heeft iedereen gewonnen. Oké?'

Arif schopt zijn stoel om en gaat boos in een hoek van de klas zitten.

'Arif, kom terug!' zegt meester Max streng.

Arif luistert niet.

'Het is ook nooit goed,' zegt meester Max klagend. 'Ik doe nooit meer een wedstrijdje met jullie. Wat kunnen jullie zeuren!'

'*Ik* heb gewonnen,' moppert Arif in zijn hoek.

Op dat moment zegt Wim: 'Ja meester, Arif heeft gewonnen, dat heeft u zelf gezegd.'

Bram weet dat Wim gelijk heeft, maar hij zegt het niet. Als hij niks zegt, kiest meester Max straks misschien toch nog Brams herfstdiertje uit.

Ernstig kijkt meester Max Wim aan.

'Jongen, wat vind ik dat lief van je. Arif heeft gewonnen, ik heb het zelf gezegd. Eerlijk is eerlijk.'

Een paar kinderen mompelen dat ze het helemaal niet eerlijk vinden, maar daar trekt meester Max zich niks van aan.

'De wedstrijd is afgelopen,' zegt hij. 'Arif, kom bij ons zitten.'

Arif gehoorzaamt en meester Max zegt: 'Omdat Arif gewonnen heeft, ga ik speciaal voor hem een spannend verhaal vertellen. Een verhaal over een zielig herfstdiertje. En als de andere kinderen stil zijn, mogen ze meeluisteren.'

Meteen begint iedereen met zijn stoel te schuiven om nog dichter bij meester Max te zitten. Bram gaat zo dicht bij hem zitten, dat zijn knieën tegen de benen van meester Max drukken. Een verhaal over een zielig herfstdiertje, jááàh, daar heeft hij zin in!

Poep

Er ligt poep in de zandbak, een grote hoop bruine poep, zomaar midden in het zand. Rosa en Bram kijken er nieuwsgierig naar.

'Ik weet wie dat gedaan heeft,' zegt Rosa.

'Ik ook,' zegt Bram. 'Een hond.'

Het gebeurt wel vaker dat honden op het speelplein poepen. Dat is vies, maar er is niks aan te doen. Het hek om de speelplaats is niet hoog genoeg om honden tegen te houden.

'Nee, het was geen hond,' zegt Rosa en ze begint te giechelen.

'Wat dan?' vraagt Bram.

Rosa kijkt hem aan of ze een spannend geheim weet en giechelt nog erger.

Bram snapt het niet. Wat is er voor bijzonders aan de hand?

Rosa buigt zich naar hem toe en fluistert in zijn oor: 'De meester heeft het gedaan.' Ze proest het uit.

'Echt waar?' vraagt Bram. Hij kijkt naar meester Max, die een eindje verderop op een stoel in de herfstzon zit. Daarna kijkt hij weer naar de poep in de zandbak en ineens moet ook hij giechelen. 'Ja!' zegt hij, 'de meester heeft het gedaan.'

'Hij is met zijn blote billen in het zand gaan zitten,' zegt Rosa, 'en toen heeft hij gepoept.'

'Ja!' zegt Bram. 'Met zijn blote billen!'

Hij krijgt een rood hoofd, want hij heeft iets nog leukers bedacht. 'De meester heeft ook in het zand geplast,' fluistert hij, 'met zijn blote piemeltje.'

Rosa valt bijna om van het lachen. 'Met zijn blote piemeltje, jááàh!'

Bram zelf valt ook bijna om en hij probeert te bedenken of hij iets weet dat nóg leuker en viezer is.

'Kinderen!' roept meester Max vanaf zijn stoel. 'Naar binnen, het is tijd om aan het werk te gaan.'

Ook in de klas kunnen Bram en Rosa niet meer ophouden met lachen. Ze zitten aan de plaktafel, maar ze plakken niet. Telkens kijken ze stiekem naar meester Max en dan zien ze het weer voor zich: de blote meester Max in de zandbak, met zijn blote billen en met zijn blote piemeltje. Het is echt het grappigste dat ze ooit hebben bedacht.

Meester Max vindt het niet leuk dat ze de hele tijd aan het giechelen zijn. Streng kijkt hij een paar keer hun kant uit en tenslotte komt hij naar hen toe.

'Wat is er?' vraagt hij. 'Waarom zijn jullie niet aan het werk?'

Rosa stoot Bram aan en daar moet Bram weer heel erg om lachen.

'Wat is er voor grappigs?' vraagt meester Max.

'Meester,' zegt Rosa, 'u heeft in de zandbak gepoept.'

'Met uw blote billen!' gilt Bram en tranen van pret springen in zijn ogen.

Meester Max lacht niet. 'Wat een flauw grapje,' bromt hij.

'Echt waar, meester,' zegt Rosa, 'kom maar kijken.'

Bram en zij springen op en hollen naar buiten. Meester Max komt achter hen aan.

'Kijk, meester,' zegt Bram, als ze bij de zandbak zijn. Hij wijst naar de drol, waar nu een zwarte vlieg overheen kruipt. 'Dat heeft u gedaan.'

'Hè bah,' zegt meester Max, 'wat een viezigheid in de zandbak. Waarom letten de mensen niet beter op hun honden? Jakkes, ik ga een schep pakken, dan ruimen we die poep op.'

Meester Max verdwijnt de schuur in. Als hij even later met een schep tevoorschijn komt, zijn Rosa en Bram weg. Door het raam heen ziet meester Max dat ze terug in de klas zijn. Ze zijn daar iets aan het vertellen, waar de andere kinderen erg om moeten lachen.

'Kleine viespeuken,' mompelt meester Max. Maar dan moet ook hij lachen en met de schep in zijn hand stapt hij de zandbak in.

Politie in de klas

'Dag lieve kinderen, ik ben meneer De Hartog, ik ben een politieagent.'

Ja, dat zien de kinderen ook wel, dat dat een politieagent is. Doodstil en met wijdopen ogen zitten ze naar hem te kijken.

Meester Max had het vanmorgen al verteld: er zou een echte politieman op school komen. Vooral aan de grote kinderen zou hij van alles over het werk van de politie gaan vertellen. Maar ook bij de kleuters zou hij even een kijkje komen nemen, had hij beloofd. Iedereen vond dat geweldig spannend. De hele morgen hebben ze boefje en gevangenisje gespeeld.

Maar toen kwam die man de klas binnen en meteen waren alle kinderen stil. Hij is groot en heeft een zware bromstem en een snor en donkere ogen en hij heeft politiekleren aan. Hartstikke eng.

'Jullie hoeven niet bang voor me te zijn, hoor,' zegt de man met zijn zware bromstem. 'Politiemensen zijn heel lieve mensen.'

Bram schuift dicht naar meester Max toe. Gelukkig zit hij vlak naast hem en ver bij die politieagent vandaan. Rosa, die aan de andere kant van meester Max zit, kruipt ook dicht tegen hem aan.

'Sommige mensen denken dat de politie altijd streng is en boos,' zegt de politieagent. 'Dat we mensen in de gevangenis stoppen bijvoorbeeld. Maar dat is niet waar hoor, lieve kinderen.'

Zijn stem klinkt zo akelig hard dat juf Mieke door het raam naar binnen komt kijken, om te zien wat er aan de hand is. De politieagent zwaait naar haar. Juf Mieke is meteen weer weg.

Is het niet waar dat de politie mensen in de gevangenis stopt? denkt Bram. Ja toch?

'Alleen als mensen stoute dingen doen,' vertelt de agent, 'dan wordt de politie boos. Mensen die lelijke dingen doen stoppen we in de gevangenis. Die hebben straf verdiend.'

Pieter staat op van zijn stoel, sluipt naar meester Max en kruipt bij hem op schoot, terwijl hij angstig omkijkt naar de politieagent.

'Precies,' zegt meester Max, 'alleen boeven krijgen straf, maar gewone mensen niet.'

'Klopt,' bromt de politieagent, 'boeven en rovers en moordenaars, dus jullie hoeven echt niet bang te zijn.'

Moordenaars? Bram rilt en drukt zich nog dichter tegen meester Max aan. Ook Susan kruipt nu op de schoot van de meester.

De politieagent krabbelt aan zijn grote zwarte snor en knippert met zijn grote zwarte ogen.

'Iedereen doet natuurlijk wel eens stoute dingen, maar dan

wordt de politie heus niet meteen boos, hoor,' zegt hij. 'Wie van jullie doet wel eens stoute dingen?'

Niemand steekt zijn vinger op. Ze kijken wel uit!

'Niemand?' brult de politieagent verbaasd. 'Dat geloof ik niet, jongens en meisjes. Vertel eens eerlijk, wie is er wel eens stout?' Langzaam kijkt hij de kring rond met zijn verschrikkelijke zwarte ogen.

Arif begint te huilen en ook Bram voelt zijn ogen prikken. Hijzelf was gisteren nog stout. Hij had 'stom wijf' tegen mamma gezegd en toen moest hij voor straf naar bed. Als hij dat nu vertelt, moet hij misschien wel naar de gevangenis. Hij wil niet naar de gevangenis.

'Zal ik jullie eens wat vertellen?' gromt de politieman. 'Zelfs ik ben wel eens stout. Ja, dat geloven jullie niet hè, dat zo'n aardige politieagent wel eens stout is.'

Nou, Bram gelooft dat best. Die man ziet er zo gemeen uit en hij heeft zo'n akelige stem, echt iemand om bang voor te zijn.

Ook Barbara probeert nu op de schoot van meester Max te klimmen, maar de schoot is vol, er kan niemand meer bij. Barbara snikt het uit. 'Ik vind het eng,' jammert ze.

Beteuterd kijkt de politieman haar aan. 'Wat is dat nou?' zegt hij. 'Moet je huilen? Dat hoeft toch niet, lief kind. Kom bij me op schoot.' Hij steekt twee grote, harige handen naar haar uit.

En daar moet Barbara nog harder van huilen. Ze kruipt weg achter meester Max. Ook Bram kan zijn tranen niet meer binnenhouden. Hij heeft nog nooit zo'n enge man gezien.

Meester Max kucht. 'Ehm... meneer De Hartog,' zegt hij, 'het is tijd om naar groep drie te gaan.'

'Groep drie? Is het al zo laat?' De politieagent kijkt op zijn horloge. 'Verdraaid, u heeft gelijk, meester. Laat ik maar gauw gaan. Dag, lieve kinderen.'

Hij staat op en loopt de klas uit. Doodstil blijven alle kinderen in de kring zitten.

'Jongens!' zegt meester Max, als de politieagent weg is. 'Wat zijn dat voor tranen? Meneer De Hartog is toch een aardige man?'

'Ik vind het geen aardige man,' snikt Arif.

Meester Max aait hem over zijn hoofd. 'Niet meer bang zijn,' zegt hij, 'hij is weg en hij komt niet meer terug.'

Gelukkig! denkt Bram.

'Zet de stoelen onder de tafels, dan mogen jullie gaan werken,' zegt meester Max.

Meteen klinkt er een luid gekras en gepiep van stoelpoten. Alle kinderen rennen naar de plek waar ze het liefst willen gaan spelen.

Bram holt naar Rosa en gooit haar keihard op de grond. 'Ik ben de politie!' schreeuwt hij, 'Ik stop je in de gevangenis!'

Rosa begint te gillen en te spartelen. 'Help!' roept ze schaterend. 'Laat me gaan, ik ben geen boef, ik ben een lief kind!'

De hommel

Er vliegt een hommel door de klas, een dikke bruin-met-zwarte hommel. Luid zoemend vliegt hij voor het raam heen en weer. Hij wil naar buiten, maar dat kan niet, het raam is dicht.

'Waar komt die ineens vandaan?' zegt meester Max. 'Het is koud buiten en dan zijn er geen hommels en bijen en wespen meer.'

Ja, buiten is het koud. Het is herfst, de bomen zijn kaal en het regent bijna elke dag. Binnen brandt de kachel en daarom zit die hommel natuurlijk in de klas, omdat hij het akelig vond in de regen.

Bram en nog een paar kinderen lopen naar het raam, om de hommel te bekijken.

'Voorzichtig!' roept meester Max. 'Als je te dichtbij komt, prikt hij!'

Bram moet daarom lachen. Hommels prikken niet, dat heeft de juf zelf verteld. Alleen als je ze pest. Dan worden ze boos, maar als je lief tegen ze bent, doen ze niks.

'Je weet het maar nooit,' zegt meester Max. 'Blijf bij hem uit de buurt.' Hijzelf zit achter zijn tafel, ver bij de hommel vandaan.

De kinderen doen een stapje achteruit, een kleine stap, anders kunnen ze de hommel niet meer bekijken.

'Meester,' zegt Bram, 'u moet het raam opendoen, dan kan hij weg.'

Want buiten is het weliswaar koud, maar in de klas is geen

eten voor hem. Als hij binnen blijft, gaat de hommel dood. Ook dat heeft de juf verteld. En als hij het echt te koud vindt buiten, zoekt de hommel een plekje waar hij de hele winter kan slapen.

'Het raam opendoen?' Meester Max staat op, maar komt niet naar Bram toe. Met grote ogen kijkt hij naar de hommel, die nu driftig zoemend op en neer vliegt en steeds tegen de ruit botst. 'Doe jij het raam maar open, Bram, dan kan hij naar buiten.'

'Ik kan het raam niet opendoen,' zegt Bram. De knop van het raam zit veel te hoog, dat weet meester Max toch wel?

'Dat is ook zo,' zegt meester Max. 'Weet je wat? Laat de hommel dan maar lekker vliegen. Niet plagen, dan word je ook niet geprikt.' En hij gaat weer achter zijn tafel zitten.

Bram kijkt eens goed naar meester Max. Is hij bang? Bang voor die kleine hommel?

'Haha!' zegt Bram. 'Meester, u bent bang!'

'Ja!' zegt Rosa. 'De meester is bang!'

Boos kijkt meester Max hen aan. 'Bang?' bromt hij. 'Hoe kom je daarbij? Ik ben een groot mens en grote mensen zijn nooit bang.'

Dat is niet waar! denkt Bram. Grote mensen zijn heus wel eens bang. Mamma is bang voor spinnen. En toen pappa pas naar de televisie zat te kijken, zei hij: 'Ik ben bang dat het niks wordt met Ajax, dit jaar.'

'Je hebt gelijk,' geeft meester Max toe, 'ik ben ook wel eens bang. Maar niet voor zo'n klein beestje. Stel je voor!'

Steeds driftiger vliegt de hommel voor het raam heen en weer. Telkens stoot het arme dier zijn kop tegen de ruit. Het is zielig!

'Meester, het raam moet open,' zegt Rosa.

Maar meester Max zegt: 'Hou er nou over op en ga lief in de poppenhoek spelen.'

Zie je wel dat hij niet durft. Hij denkt echt dat hommels prikken. Wat een domme meester.

De halve klas staat nu bij het raam. Ze kijken naar de hommel en ze kijken naar meester Max. Het is leuk om te zien dat hij bang is.

'Waarom luisteren jullie nooit naar wat ik zeg?' vraagt hij grommend.

'U durft niet!' zegt Rosa.

En nu moet meester Max zelf ook lachen. 'Jullie zijn echt een stel kleine minimonsters,' zegt hij. 'Maar... nou ja, ik ben vaak geprikt door enge beesten en als dat gebeurt, krijg ik allemaal bulten. Dus ik blijf liever bij ze uit de buurt.'

'Maar hij wil zo graag naar buiten,' zegt Barbara.

Meester Max denkt even na en staat weer op. 'Wacht,' zegt hij, 'ik weet al wat.'

Hij gaat de klas uit en komt even later terug met juf Mieke. Die loopt meteen naar het raam en doet het open, terwijl meester Max er ver vandaan blijft staan. Meteen vliegt de hommel naar buiten.

'Het raam klemt helemaal niet, Max,' zegt juf Mieke.

'Ik zie het,' zegt meester Max. 'Je hebt gelijk, Mieke. Bedankt voor het helpen.'

En juf Mieke verdwijnt.

'Zo,' zegt meester Max, terwijl hij naar het raam loopt om het dicht te doen. 'De hommel is weg, jullie hoeven niet meer bang te zijn.'

Jullie?

'Jíj was bang!' zegt Bram.

'Hé hé, niet zo brutaal!' zegt meester Max. Grinnikend komt hij naar Bram toe en geeft hem een aai over zijn haren. 'Het is tijd om te gaan voorlezen. Jij mag een boek uitkiezen, Bram, maar liever geen boek over enge beesten.'

Feest

'Leuk was het gisteren, hè?' vraagt meester Max.

Nou en of het leuk was, gisteren. Meester Max was jarig en daarom is er feestgevierd. Iedereen had cadeautjes meegebracht.

Alle kinderen worden weer blij als ze eraan terugdenken. Alle kinderen, behalve Wim. Hij was gisteren niet op school. Wim is nooit op school als er iemand jarig is, en ook niet als het Sinterklaas is, of Kerstmis. Hij mag daar van zijn vader en moeder niet aan meedoen. Meestal als er feest is op school, blijft Wim thuis.

'Toen ik gisteravond thuiskwam heb ik nog een keer feestgevierd,' vertelt meester Max. 'Er was veel visite en ik ben laat naar bed gegaan, dus nu ben ik moe. Ga maar lief spelen en niet te veel herrie maken. Ik heb een beetje hoofdpijn.'

'Meester,' zegt Susan, 'over één nachtje slapen ben ik jarig.'

'Is het heus?' vraagt meester Max. 'Dus morgen gaan we alweer feestvieren?'

'Ja!' zegt Bram. 'Dan willen we weer spelletjes doen.'

Het was echt hartstikke leuk gisteren. De hele middag hebben ze spelletjes gedaan en liedjes gezongen en lekkere dingen gegeten.

Bram zou willen dat meester Max elke dag jarig was, zo leuk vond hij het.

'Ik ben over acht nachtjes jarig,' zegt hij.

'Ik over dertig,' zegt Arif.

'Ik over nul,' zegt Peter en hij begint luid te schateren.

Alle kinderen roepen door elkaar over hoeveel nachtjes ze jarig zijn.

Alleen Wim zegt niets, stilletjes zit hij in de kring.

Meester Max kijkt naar hem. 'En jij, Wim, wanneer ben jij jarig?' vraagt hij.

'Dat weet ik niet,' antwoordt Wim zacht.

'Wim is nooit jarig,' zegt Rosa.

'Wel!' zegt Wim boos.

'Wanneer dan?' vraagt Rosa.

Wim zegt niets terug.

'Natuurlijk is Wim ook een keer jarig,' zegt meester Max. 'Iedereen is wel eens jarig. Maar niet alle mensen vieren feest op hun verjaardag. Dat geeft toch niet?'

Dat geeft wel! vindt Bram. Hij zou het erg vinden als hij

geen feest mocht vieren op zijn verjaardag. Dan zou hij niet mogen trakteren in de klas. En trakteren is leuk, dan doet iedereen lief tegen je en dan mag je naar alle juffen en meesters om ze iets lekkers te brengen. Wim mag dat nooit.

'Ik vind het stom!' zegt Rosa.

Wim kijkt nu nog sipper dan eerst, Bram ziet dat hij bijna moet huilen.

'Rosa!' zegt meester Max. 'Doe niet zo onaardig.'

'Ik vind het zielig!' zegt Bram.

Wim knikt, met tranen in zijn ogen. Hij vindt zichzelf ook zielig.

'Welnee!' zegt meester Max. 'Het is niet stom om geen feest te vieren als er iemand jarig is, en het is ook niet zielig. Bij Wim thuis gaan de dingen een beetje anders dan bij de meeste mensen. Nou en? Niet alle mensen zijn hetzelfde. Zo zijn er mensen die geen vlees eten. Niet omdat ze vlees vies vinden, maar omdat ze het akelig vinden als er dieren worden doodgemaakt.'

Ja, denkt Bram, dieren doodmaken is akelig.

'Of er zijn mensen die geen groene jurk aan willen,' gaat meester Max door, 'omdat ze groen geen mooie kleur vinden.'

'Of als je een jongen bent,' zegt Robin, 'dan wil je ook geen jurk aan.'

'Precies,' zegt meester Max. 'En zo zijn er ook mensen die geen feest willen vieren als ze jarig zijn, of als het Sinterklaas is, of Kerstmis.'

'Waarom niet?' vraagt Rosa.

'Die willen liever feestvieren op andere dagen,' zegt meester Max. 'Bijvoorbeeld als ze hun zwemdiploma halen, of als ze iets anders doen waar je trots op kunt zijn. Klopt, hè Wim?'

'Ja,' zegt Wim.

Bram snapt het, maar hij vindt het nog steeds zielig voor Wim. Als je feestviert zonder dat je jarig bent, krijg je dan wel cadeautjes?

Meester Max gaat rechtop op zijn stoel zitten. 'Zal ik jullie eens wat vertellen?' zegt hij. 'Ik ben eigenlijk een beetje jaloers op Wim. Het is saai om alleen maar feest te vieren als er iemand jarig is, of als het Sinterklaas is, of Kerstmis. Het is veel leuker om feest te vieren op een andere dag, bijvoorbeeld als je er zomaar ineens zin in hebt.'

Dat vindt Bram ook. Feestvieren als je er zomaar ineens zin in hebt is leuk!

'En zal ik nog eens wat vertellen?' gaat meester Max verder. 'Ik heb nu zomaar ineens zin in feestvieren.'

De kinderen kijken hem verbaasd aan.

'Wie is er vandaag jarig?' vraagt meester Max.

Niemand geeft antwoord, want niemand is jarig.

'Goed zo,' zegt meester Max. 'We gaan vieren dat er vandaag niemand jarig is. Hoe vinden jullie dat?'

Feestvieren? Gaan ze echt feestvieren? Dat vindt iedereen natuurlijk een heel goed idee van meester Max. Het is raar om feest te vieren terwijl er niemand jarig is, maar ook grappig.

'Ik heb er ook zin in,' zegt Arif.

'Ik ook!' roepen andere kinderen.

'Mijn stoel is nog versierd,' zegt meester Max. 'En ik heb nog wat lekkere dingen van gisteren over. Het feest kan beginnen.'

Hij zet de stoel midden in de kring.

Dan zegt hij: 'Wim mag op de feeststoel zitten, want hij was er gisteren niet. En dan mag Wim straks trakteren omdat er niemand jarig is.'

Wat een rare meester! Bram moet erg om hem lachen.

Blij klimt Wim op de versierde stoel van meester Max. Alle anderen gaan op de grond om hem heen zitten.

'Eerst gaan we een feestlied zingen,' zegt meester Max. 'Er is niemand jarig, hoera, hoera, dat kun je wel zien dat zijn wij!!!'

De kinderen schateren het uit, Wim het hardst van allemaal.

'Ik wil cadeautjes!' roept hij.

'Hohoho!' zegt meester Max. 'Even geduld alsjeblieft. Eerst mag je trakteren en daarna gaat de hele klas een mooie tekening voor je maken.'

Als hij dat heeft gezegd, gaat meester Max naar de keuken, waar een grote zak spekkies ligt te wachten op een klas kleuters die zomaar ineens zin hebben in feestvieren.

Stil

Gillend rent Bram dwars door de klas achter Wim aan. Wim is een boef en Bram is de politie die hem gaat vangen.

Wim rent voor zijn leven en gooit onderweg stoelen en blokken om.

'Jongens, maak niet zo'n kabaal!' zegt meester Max, die achter zijn tafel zit.

'Ik maak geen kabaal, ik ben de politie,' zegt Bram en hij rent verder.

In de poppenhoek is Rosa hard aan het huilen. Ze speelt vader en moedertje met Arif en Tamara en zij is de baby die niet wil slapen.

Bij de watertafel staan Pieter en Peter te gillen. De watertafel is een zee waarin net een schip is gezonken. Nu zijn er allemaal haaien die iedereen bijten. De mensen krijsen als ze door de haaien worden opgegeten.

Het is zo'n herrie in de klas, dat meester Max zijn handen tegen zijn oren drukt. 'Wat een heksenketel,' mompelt hij.

Hij staat op van zijn tafel en brult, harder dan alle kinderen bij elkaar: 'Stilte!'

Geschrokken houden de kinderen op met spelen.
'Wat maken jullie een herrie!' zegt meester Max. 'Ze hebben in groep één vreselijk last van ons. Als we zo doorgaan wordt juf Mieke boos.'
Herrie? denkt Bram. Iedereen was lief aan het spelen!
'Voor vandaag hebben we genoeg kabaal gemaakt,' zegt meester Max. 'Vanaf nu wil ik geen geluidje meer horen.'
'Maar meester...' wil Rosa zeggen.
'Ssst!' zegt de meester. 'Geen geluidje meer. Ik wil alleen mijn eigen stem nog horen en verder niemand. Kunnen jullie dat, zo stil zijn als muisjes?'
Natuurlijk kunnen ze dat!
'Piep, piep!' roepen een paar kinderen.
'Nee, ook geen gepiep,' zegt meester Max. 'Ik doe mijn ogen dicht en dan wil ik niks meer horen. Schoenen uit, dan maken jullie voeten ook geen herrie meer.'
Meester Max gaat zitten en doet zijn ogen dicht. Stilletjes trekken de kinderen hun schoenen uit, op hun tenen sluipen ze door de klas.
Het is een leuk spel.
Wim de boef rent op zijn sokken tussen de tafels door en politieman Bram trippelt achter hem aan. Baby Rosa huilt niet meer, maar is lief gaan slapen. De mensen in de watertafelzee zijn allemaal opgegeten door de haaien, dus die gillen ook niet meer. Het is stil in de klas, muisstil. En nog altijd zit meester Max met zijn ogen dicht achter zijn tafel.
Freddy loopt naar hem toe en trekt hem aan zijn mouw.
'Nee,' zegt meester Max zonder zijn ogen open te doen, 'iets aan mij vragen mag ook niet.'
Even blijft Freddy naar meester Max staan kijken, dan gaat hij op een stoel zitten en begint met zijn benen te wiebelen. Bram snapt wat er aan de hand is. Weer staat Freddy op en gaat hij bij meester Max staan. Maar hij durft niet meer

aan zijn mouw te trekken, daarom gaat hij weer zitten, met grote ogen en met druk wiebelende benen.

Bram speelt verder. Hij sluipt onder tafels door, op zoek naar de boef die zich heeft verstopt.

Ineens begint Freddy te huilen. Bram ziet dat in zijn broek een grote, natte plek is verschenen.

Meester Max doet zijn ogen open en kijkt naar Freddy. 'Wat krijgen we nu?' zegt hij. 'In je broek geplast? Jongen toch!'

'Het is jouw schuld,' zegt Freddy snikkend. 'Ik moest naar de wc en ik mocht het niet vragen.'

'O,' zegt meester Max. 'Ai,' zegt hij. 'Kom maar even hier.'

Hoofdschuddend bekijkt hij de kletsnatte broek. Je kan zo zien dat hij niet weet wat hij nu moet doen.

'Dat is niet zo leuk,' zegt hij. 'Tja, dat is niet zo leuk. Ehm... Weet je wat? We gaan naar juf Mieke, zij weet vast wel of er droge broeken op school zijn. Ik ben zo terug, kinderen.'

'Ze was boos,' zegt meester Max, als hij terug is in de klas. 'Juf Mieke was boos.'

'Freddy kon er niks aan doen!' zegt Wim.

'Ze was niet boos op Freddy, ze was boos op mij,' zegt meester Max. 'Zij vond ook dat het mijn schuld was. Wat kan juf Mieke streng zijn!'

Ja, daar weet Bram alles van. Juf Mieke is veel strenger dan hun eigen juf.

'We gaan weer gewoon aan het werk, hoor,' zegt meester Max. 'Het spelletje is afgelopen. Tjongejonge, ik moet een kopje koffie voor de schrik.'

Even later zijn alle kinderen weer aan het spelen, en niemand maakt herrie. En meester Max? Die zit achter zijn tafel en is het stilst van allemaal.

Dokter Bram

Bram is met Bobbie op de gang aan het spelen. Bobbie is pas vier, hij zit in de klas van juf Mieke. Bram speelt vaak met hem, Bobbie is zijn vriend. Hij woont bij Bram om de hoek.

'Ik ga je onderzoeken,' zegt Bram. 'Doe je kleren uit.'

Als Bram later groot is, wordt hij dokter. Als je dokter bent, mag je mensen prikken geven en je mag ze opereren en pleisters op ze plakken. Nu is Bram nog niet groot, maar het is leuk om te doen alsof hij al een echte dokter is. En Bobbie is de patiënt.

Maar de patiënt zegt: 'Ik wil mijn kleren niet uit. Dan ben ik bloot en dat wil ik niet.'

Hè, wat jammer nou. Nu ja, dan zal Bram hem onderzoeken met zijn kleren aan. Hij kijkt in Bobbies mond en in zijn oren en hij duwt hard tegen zijn buik. Dat voelt akelig, hij is werkelijk erg ziek. Dokter Bram zal hem beter maken.

'Blijf stil liggen!' zegt hij. Hij holt de klas in en vraagt aan de meester om pleisters.

'Pleisters?' vraagt meester Max. 'Ben je gevallen?'

'Ik ben dokter,' zegt Bram. 'Van de juf mag het ook altijd.'

'Jaja, dat zal wel weer,' zegt meester Max.

'Echt waar, meester!' roept Rosa van achter uit de klas.

'Ja, echt waar,' zegt Bram, 'we jokken niet.'

'Vooruit dan maar,' zegt meester Max. Hij haalt een doosje pleisters uit de verbandtrommel en geeft het aan Bram.

Blij neemt Bram het mee naar de gang. Echte pleisters! Die zijn nog leuker dan de kinderpleisters waar ze van de juf soms mee mogen spelen.

Bobbie ligt in de gang op de grond, braaf op Bram te wachten.

'Ik ben ziek,' zegt hij.

'Weet ik,' zegt Bram. 'Ik ga je beter maken.'

Hij haalt een pleister uit de doos en plakt hem op Bobbies arm.

Trots kijkt het jongetje naar de pleister. 'Nog een!' zegt hij en hij steekt zijn andere arm uit. Ook op die arm plakt Bram een pleister.

Bobbie schatert het uit. 'Ik ben ziek!' zegt hij. 'Ik moet nog meer pleisters.'

Dus plakt Bram een pleister op zijn voorhoofd. En daarna een op zijn buik, twee op zijn benen en een op zijn wang.

De pleisterdoos is leeg en Bobbie ziet er echt uit als een patiënt.

'Nu ben je beter,' zegt Bram. Hij trekt de pleister van Bobbies wang.

'Au!' schreeuwt Bobbie. 'Het doet pijn.'

Bram zegt niks en trekt een pleister van Bobbies arm.

'Au!' gilt Bobbie weer. Hij begint te huilen.

Ja, hoor eens, Bram kan er niks aan doen dat het pijn doet. Kinderpleisters kun je lostrekken zonder dat je er iets van voelt, maar dit zijn grotemensenpleisters en die zitten stevig vast als je ze op iemand hebt geplakt.

Hij trekt aan de pleister op Bobbies buik.

'Niet doen!' schreeuwt Bobbie. Hij slaat naar Bram en huilt steeds harder. 'Ik wil geen pleisters!' snikt hij.

Op dat moment komt juf Mieke de gang op. 'Wat is hier

aan de hand?' vraagt ze. Ze kijkt naar Bobbie en zegt: 'Wat een boel pleisters! Heb jij dat gedaan, Bram?'

Verlegen kijkt Bram naar haar op. 'Ik ben dokter,' zegt hij.

'Wie heeft je die pleisters gegeven?' vraagt juf Mieke.

'Meester Max,' zegt Bram.

Boos kijkt juf Mieke naar de klas van Bram. 'Die meester Max toch!' zegt ze. Ze tilt de huilende Bobbie op en draagt hem naar haar eigen klas.

Nu heeft Bram geen patiënt meer. Jammer. Zal hij een nieuwe patiënt gaan zoeken? Nee, de pleisters zijn op. Hij heeft trouwens geen zin meer om dokter te zijn. Als Bram groot is, wordt hij leeuwentemmer in een circus, dat is veel leuker.

Hij pakt een speelgoedleeuw uit de poppenhoek en gaat ermee onder een tafel zitten. Want onder die tafel, daar was de leeuwenkooi...

Op de foto

'Wat zien jullie er mooi uit!'

Meester Max heeft gelijk, de kinderen zien er mooi uit. Ze gaan vandaag op de foto en hebben daarom hun mooiste kleren aan.

Bram heeft een nieuwe bloes aan en vanmorgen heeft pappa zijn schoenen gepoetst. Zelfs Brams haren zijn netjes gekamd, terwijl mamma dat anders bijna nooit doet. Trots gaat hij in de kring zitten, tussen de andere mooie kinderen in, om te wachten tot de fotograaf de klas in komt. De hele dag blijft de fotograaf op school. Hij maakt foto's van alle groepen en als die foto's klaar zijn, mogen de vaders en moeders ze kopen. Nu is hij in groep één, straks komt hij naar de klas van Bram.

Het wachten duurt lang, de kinderen zitten te wiebelen op hun stoel.

'Zullen we in de zandbak gaan spelen?' vraagt meester Max. 'Het zand is nat van de regen, jullie hebben vast zin om blubberkastelen te bouwen.'

Hoe kan dat meester Max dat nou denken?

'Meester!' zegt Susan. 'Van blubber worden we vies en dat mag niet.'

'O,' zegt meester Max. 'Zal ik dan maar gaan voorlezen?'

Ja, voorlezen mag wel. Van voorlezen wordt niemand vies.

'*Max en de Maximonsters*!' zegt Bram.

'Alweer?' vraagt meester Max. 'Ik heb dat boek al zo vaak voorgelezen. Is het niet leuker om een ander verhaal te kiezen?'

Voordat Bram kan zeggen dat hij beslist geen ander verhaal wil horen dan *Max en de Maximonsters*, gaat de deur van de klas open. Daar is hij, de fotograaf.

Bram krijgt een kleur, zo spannend vindt hij het. De hele klas op de foto!

Een beetje boos kijkt de fotograaf om zich heen.

'Zitten jullie nog niet klaar?' vraagt hij. 'Ga eens gauw netjes zitten voor de foto. Een rij kinderen op stoelen en een rij kinderen op de grond.'

'Net als toen ik die tekening voor de juf maakte,' zegt meester Max, die gauw met stoelen begint te schuiven.

Al die keurige kinderen gaan keurig bij elkaar zitten en ook meester Max komt erbij staan. Hij is de enige die er niet netjes uitziet, hij heeft een spijkerbroek aan, net als op gewone dagen.

'Goed zo,' bromt de fotograaf. Uit zijn tas haalt hij een fototoestel te voorschijn. 'Nu moeten jullie lief lachen, dat is leuk voor de foto. Vooruit, lachen.'

Hij vraagt het zo streng, dat Bram meer zin krijgt om te huilen dan om te lachen.

'Mag ik ook lachen?' vraagt een stem, die achter de kinderen vandaan komt. 'Mag ik ook op de foto?'

Het is een heel bekende stem die dat vraagt.

Bram kijkt om wie dat is en...

Ja! Het is de juf! Hun eigen juf Wendy!

De kinderen springen op en rennen naar haar toe.

'Hoho, stilzitten!' snauwt de fotograaf. 'Ik ben nog niet klaar.'

De kinderen springen de juf in haar armen, ze knuffelen haar en geven haar kusjes. De juf is weer beter!

'Ja,' zegt ze, 'ik ben weer beter.'

Wat fijn dat juf Wendy terug is! Nu Bram haar ziet, voelt hij blije kriebels in zijn buik. Hun juf, hun eigen juf.

'Hallo, ik sta te wachten,' bromt de fotograaf.

'Niet zo snauwen, meneer,' zegt de juf. Boos kijkt ze hem aan. Hij durft meteen niks meer te zeggen.

'Jongens, ga gauw zitten,' zegt de juf. 'Het is zo klaar.'

Maar de kinderen hebben helemaal geen zin om op een rijtje te gaan zitten, nu juf Wendy er weer is. Ze willen niet op de foto, ze willen bij de juf op schoot.

'Straks,' belooft ze, 'als de foto klaar is. Toe nou.'

Oké, als de juf het wil, doen de kinderen het. Druk kwebbelend gaan ze zitten en dit keer komt de juf erbij staan.

'Wat een getreuzel, ik heb meer te doen vandaag,' moppert de fotograaf. Bram vindt hem geen aardige man.

Meester Max heeft ondertussen een stap achteruit gedaan.

'Wat een verrassing, hè?' zegt hij. 'Maar nu de juf er weer is, willen jullie vast liever met haar op de foto en niet met mij. Want iedere klas moet met zijn eigen juf of meester op de foto, zo hoort het.'

De kinderen aarzelen. Ja, ze willen graag met de juf op de foto. Ze is terug, hun eigen lieve juf is terug! Wat een feest! Bram hoopt dat ze zal trakteren, om te vieren dat ze er weer is.

Maar meester Max... Meester Max is ook lief. En bovendien is hij eigenlijk wel een beetje hun eigen meester geworden, in al die weken dat de juf ziek was. Ja, hij mag er ook bij op de foto.

'Dat vind ik fijn!' zegt meester Max. Hij gaat naast de juf staan en slaat een arm om haar heen. 'Ik ben ook blij dat je er weer bent.'

'Lief lachen allemaal,' gromt de fotograaf weer. 'Niet in je neus peuteren!'

Klik! Dat is een foto.

Klik! En nog een foto.

Even later is het voorbij. De fotograaf is klaar en gaat weg, zonder iets te zeggen. Onmiddellijk springen de kinderen op om de juf kusjes te geven en bij haar op schoot te klimmen.

'O kinderen,' zegt juf Wendy. 'Wat ben ik blij dat ik weer beter ben. Ik heb jullie gemist. Bedankt voor jullie mooie tekeningen.'

'Je mag nooit meer ziek worden!' zegt Arif.

'Ik zal mijn best doen,' zegt de juf lachend. 'En meester Max, zijn de kinderen lief geweest? Max?'

Zoekend kijkt de juf om zich heen, maar meester Max is weg. Ineens is hij weg.

Tja, nu de juf terug is, hoeft meester Max niet meer in groep twee te blijven. Hij is teruggegaan naar zijn kamertje, om dingen op te schrijven en om met vaders en moeders te praten. Meester Max is geen meester meer, hij is weer gewoon de baas van de school. Net als vroeger, toen juf Wendy nog niet ziek was.

Meester Max is in zijn kamertje. Hij heeft niks te doen. Hij staat voor het raam en kijkt naar de klas van juf Wendy, die in de sneeuw aan het spelen is.
Bram en Rosa maken een sneeuwpop, Barbara is sneeuw uit de zandbak aan het scheppen en... kijk nou toch wat daar gebeurt!
Die vervelende Pieter is Boris aan het pesten. Hij pakt zijn muts af en stopt die vol met sneeuw. Wat gemeen!
Meteen wil meester Max naar buiten hollen om Pieter op zijn kop te geven. Hij pakt zijn jas...
Nee, het mag niet. Juf Wendy is weer beter, dus mag meester Max zich niet meer met de kleuters bemoeien.
Met een zucht hangt hij zijn jas weer aan de kapstok. Hij loopt naar zijn bureau en bladert in een dikke stapel papieren. Die moet hij allemaal lezen, maar hij heeft er geen zin in.
Weer loopt hij naar het raam. Een sneeuwpop maken, leuk! Mocht hij maar meedoen met Bram en Rosa.
Wat is het saai om de baas van de school te zijn! denkt meester Max. Ik wou dat ik weer de meester van die minimonsters mocht zijn. Ik hoop maar dat juf Werndy gauw weer ziek wordt en dat ze dan heel lang wegblijft...

Lees óók over Meester Max: